帰ってきた
聞き出す力

Go Yoshida
吉田 豪

集英社

装丁　トサカデザイン（戸倉 巖、小酒保子）
本文組版　マーリンクレイン

目次

第2章 一筋縄ではいかない相手に効果アリ！

――一段上の「聞き出す力」

本書は、『週刊漫画ゴラク』（二〇一六年一一月六日号〜二〇一八年八月一五日号）をもとにした電子書籍『続々聞き出す力』（日本文芸社、二〇二一年）を、加筆修正のうえ改題し一冊にまとめたものです。

第1章

日常生活にインタビューの極意を！

——コミュ力上げる「聞き出す力」

聞き出す力——其の一

危なっかしい相手とは付かず離れずの距離感を保ちつつ寛大な心をもって接するべし！

ついさっき新しいラグマットをネットで注文した。

昨日、自宅で毎週やっている『豪の部屋』というＳＨＯＷＲＯＯＭの配信番組で、ゲストの後藤まりこさんが泥酔してラグの上で嘔吐しまくったためだ。

まあ、一〇年ぐらい押入れにしまっていたラグを配信に使えそうだからと引っ張り出したものの、さすがに古くなってて買い換えようとしていたタイミングだったから、それ自体は問題なし。

そもそも後藤さんと会うのはまだ二回目だが、二ヶ月前にも後藤まりこvs吉田豪のスリリングなトークイベントを経験しているんだから、こうなるのは覚悟の上だったのである。

思えばかつて彼女が所属していたバンド、『ミドリ』のファーストアルバム発売時にボクが宣伝用のコメントを寄せていたりと、ミドリのメンバーに友人がいた関係で昔から微妙な接点はあった。

しかし、後藤さんとその友人の間にトラブルが起きて、友人が失踪し、後藤さんが激怒。これが相当ややこしいことになっていたので、ボクは後藤さんのことは好きだけどこの先もずっと直接会わずにいようと心に誓った……はずなのに、なぜかそれから一〇年ほど経って突然、彼女と友達になることを前提としたイベントに誘われたわけなのである。

このオファーを引き受けた理由は、後藤さんが直接、破天荒なイメージとは違う、すごい生真面目なちゃんとした文章を送ってきたためだ。

イベントでも後藤さんは質問リストをちゃんと作ってきて、その結果、「好きな人はいますか?」「最初にやったアルバイトは?」的な、めったに聞かれない素朴な質問を後藤さんが連発したりのほのぼのとした空気のまま前半が終了。しかし休憩後の後半は、開演前から飲酒していた後藤さんの酔いが一気に回り、椅子に座っていられなくなってステージにしゃがみ込み、靴も脱いでリラックスし始めたから、ボクもそれに付き合って靴を脱いでステージにしゃがむという不思議な展開に。

これはこれで面白いからいいやと思ったら、その後はさらに後藤さんが泥酔してステージに寝っ転がり、寝ゲロを連発！　それを一時間ほど前に初めて会ったばかりのボクがひたすら片付けながらトークを続けるという、いままで体験したこともないイベントになったのだ！　そんな状態だからもう限界だろうとボクがイベントを早く終わらせようとすると、彼女は「みんなお金を払って来てるんだから、それはよくない！」と言い出したりで、そういうところも基本的には真面目な人だった。

「真面目なんだったら仕事のときに飲酒するな！」的な意見もあるだろうけど、普段の後藤さんは性格的にすごい暗くて、ステージに立つときには気持ちをとことんアッパーにするために飲酒しているそうなので、それはそれで真面目さをこじらせた彼女独自のプロ意識なんだと思う。

だからこそ配信番組のときもソフトドリンクを二本持参したかと思ったら、ミネラルウォーターの中身は日本酒で、烏龍茶のボトルの中身はカシスウーロンで、しかも配信番組の前からすでに飲酒していて、イベントが始まるなり日本酒を一気飲みしたわけで。

そりゃあ部屋をゲロまみれにするのもしょうがないし、生配信中に目に入ったボクの貯金通帳を晒そうとするのも、ボクのノートパソコンに詰まったプライバシーをチェックしようとしてビールをノートパソコンのキーボードに引っ掛けるのも（そのせいで、いま原稿を打っていても微妙にキーの反応が悪い）、「それ、いちばんやっちゃいけないやつ！」と、ボクが言うとすぐ反省して、「じゃあ、私のｉＰｈｏｎｅにもビール掛けていい」と、スマホを差し出すのも、実に後藤さんらしくて面白かった。

結局、途中からは寝転がったせいでカメラにも映らなくなり、「吉田豪、膝枕して！」「お腹ポンポンして！」などと言い出したりで、限界を察していつもより一五分早く番組終了。終わり際、「何か告知はありますか？」と聞いたら、その状態で友人のバンドマンの新譜を宣伝するのにも男気を感じたし、配信終了後はウチのマンションの廊下＆エントランス＆路上で三時間ブッ倒れて嘔吐していたのは大変だったけど、肩を貸そうとすると本気で嫌がり、ゲロまみれになりながらも自力で這っていくのが、劇場版『あしたのジョー』の主題歌『美しき狼たち』（おぼたけし）の歌詞みたいで厄介で可愛くて気高くて、いちいち後藤さんらしかったのである。これぐらいハードに関わることで聞ける話もある！

聞き出す力――其の二

面白い人間というのは、ただ普通にしゃべっているだけで面白いのだ！

ボクがタレント本にハマったきっかけのひとつが、現在市場価格一万五〇〇〇円オーバーの貴重本、松方弘樹の『きつい一発　松方弘樹の言いたい放談』（八曜社、一九七五年）と出会ったことだった。

同じ版元から同じ年にリリースされた山城新伍『白馬童子よ何処へ行く』同様、編集が森永博志で表紙イラストが吉田カツでレイアウトが立花ハジメという妙に小洒落た豪華メンバーの作品なのに、中身はとにかく下世話の一言。対談ページでゲスト相手に容赦なくセクハラ発言を繰り返す松方弘樹が本当にどうかしているのだ！

なにしろ不倫男を集団で吊るし上げる抗議活動で当時有名だったウーマンリブ団体・中

ピ連代表の榎美沙子に、八〇〇〇人斬りという松方のキャッチフレーズについて「大体、八〇〇〇人なんて数、それには当然、金で買う女性もいるわけでしょ?」と糾弾されようとも、一切気にせず、「おとといも神戸へ行ったんだ、女買いにね。これはね、フィリピンから来ている女なんだよ。あんまり、いい女じゃなかったけど、口説いたんだ。それから別の飲み屋に行ってね。ところがその女の口からオレの先輩俳優の名前がチョコチョコでてくるんだよ。それでヤバイと思って……(笑い)」と、楽しそうに言い出す松方。

「女を金で買うなんて大体女を何だと思ってるんですか。やっぱりね、売春防止法を改正して女を買った男を刑務所にぶちこまなきゃなりませんね。女を金で買うなんて人身売買じゃないですか」と、榎美沙子に責められても、「恐ろしいねェ(笑い)。でもオレだめだったの。だから刑務所にブチこまれない(笑い)」と笑い飛ばし、最後は「じゃ、オレと浮気しよう」「ねェ、やろうじゃない。×××の先がカッカしてきたぜオレ(笑い)」と、口説き始めるから、つくづく恐い者知らずな男なのであった。

女優・ジャネット八田との全く嚙み合わない対談も衝撃的で、「処女はいつ?　いつのとき。二十一にもなって、処女とはいわせないぜ(笑い)」(松方)「……」(八田)「ご想像におまかせしますって面だナ、その顔（笑い）」（松方）という感じでわかりやすくゲストがドン引きしていることもやっぱり気にせず、「じゃァ、オレと共演しようぜ」「今んとこ脱獄シリーズをやってるからサ、オレの妹の役はどう？　脱獄囚の妹でさ、赤線に売りとばされて、梅毒病みでレロレロになる……。そういう役はどう？」と提案して、「（冷ややかに）私の好みの役じゃないですね」と返されるのもスリリングすぎるよ！

さらに、なんといっても画期的なのが、当時の結婚相手・夏子夫人を対談のゲストに迎えていること。しかも取材日は三人子連れの結婚式を終えた初夜のベッドの上。

なので、「夜にふたァーつ、朝方、キツーイ一発、ほんとにもう……よかったわァ」という夏子夫人の赤裸々すぎる発言が普通に飛び出すし、「オレは大人のオモチャをよう買うてくるやろ。あれを『いやらしい』とか『恥ずかしい』とかいわんと有効に利用すりゃ、楽しいと思うのや」（松方）「いやらしいなんていわへんわ、私……」（夏子夫人）「前はよういいっとったがな、最近はいわんようになったけど」（松方）というやり取りも含めて、なんで読者にこんな情報まで提供するのか意味が全然わからないよ！

さらには松尾和子相手に、「オレのは的中率がいいんだよ。したら出来るんだなァ。女房にもずいぶんおろさせているし、あちこちでおろさせているし。で、女房のやつパイプカットしてくれっていうわけよ」なんて余計なことまでカミングアウト！

結局、「撮影所にパイプカットしてインポになったやつがいる」との理由で断念したらしいが、最初の結婚のときからパイプカットを要求されていたことも明らかになり、その上で、「でもオレは一度だってそういう面倒を起こしたことないぜ。どの女も素直にオロしてくれるしね」「ネェ、姉貴はオレの子をほしいと思わないか」と、松尾和子を口説き始めるから本物なのであった。いまじゃなくても完全にアウト！

仕事以外のプライベートな雑談から相手の素顔を探る作業はとても楽しいものなのだ！

最近はボクのやり口がいろいろバレてきているようで、映画『沈黙―サイレンス―』きっかけで窪塚洋介を某女性誌でインタビューしたときは、直前になって「くれぐれも映画の話から始めて下さい」と映画会社の人から念押しされた。

いや、放っておいたら映画とは関係ない雑談ばかりするのは確かだけど！

なので結果的に、自分史上ちょっとないぐらいに映画の話を聞きつつ、それでもキッチリとプライベートな話を引き出す記事になったわけなのだ。

でも、できることなら思う存分に雑談がしたいと本当に思う。

そんなとき「好きなだけ雑談して下さい」という最高のオファーがあった。

ただ、このオファーはあまりにも謎だらけで、最初は「尚、大変恐縮ですが、インタビュー対象は某プロ野球選手ですが（略）現時点では個人名は控えさせていただきます」というマジカル・ミステリー・ツアー的なメールだったから、この情報だけで引き受けるのは相当な勇気が要るよ！

そもそもボクは野球知識皆無で、これまでアウトロー系の元野球選手ぐらいしか取材したことないから断ろうかと思ったら、これが実は『別冊カドカワ』編集部による「野球について掘り下げるページは他にあるから、吉田さんは大谷翔平選手と雑談だけして下さい」という予想外のオファーだったわけである。

それは接点がなさすぎて面白いと思って引き受けた直後、ちょっと下調べした時点で「大谷翔平は無趣味」「野球以外には興味がない」ことが判明。

これはつまり、雑談が大好きで趣味はいろいろあるけれど野球知識皆無な人間による、雑談が苦手で無趣味だけど野球は大好きな人間への異種格闘技戦みたいなインタビューだったわけである！

しかも、取材当日のボクはかなりの体調不良。前日には四〇度近い熱が出ていて、こんなスーパースターに風邪を伝染《うつ》したらさすがにヤバいと思って病院を探したけれど、休日だし夜遅めだしで全滅だったから薬を飲んで寝るしかない。

その結果、とりあえず熱だけは下がったけれど……というコンディション超絶不良化状態での過酷な闘い。ただ、若くしてスーパースター的な立場になった人がどんなことを考えて生きているのかには興味があったので、個人的にはすごい楽しめたのだ。

だって、あれぐらいの人なら相当同じ質問ばかりされているはずで、だから「一番答え飽きた質問ってなんですか?」と、おそらくは「二刀流」とか「メジャーリーグ挑戦」とか返ってくると思って質問したら、「新垣結衣さんがかわいかったかどうか(キッパリ)。ことし(二〇一七年)ヤバいです、もう!」と、『紅白』で並んで審査員をやったガッキーのことばかり聞かれ続けているとか、さすがに想像もできなかったからなー。こんなところにもレプロ問題が!

そして、無趣味だとわかった上でプライベートを掘り下げていったところ、読書するといっても読むのはトレーニングや栄養学の本だったり、マンガも風呂場にチームメイトが置いているのを読む程度で、息抜きは「野球を観ること」。あれだけ稼いでいるのに自分の手元にくるのは毎月一〇万ぐらいで、監督の外出禁止指令もあって、数少ない楽しみがコンビニでスイーツを買うことだとか、いくら掘っても野球以外のエピソードがほとんど出てこない。それで思い出したことがある。

梶原一騎&川崎のぼるの『巨人の星』で、元大リーガーの黒人選手オズマに「オレハアメリカノ野球ロボット。オマエハ日本ノ野球人形！」と言われた星飛雄馬が普通の人生もやってみようとして、クリスマスパーティーを開催したら誰も来なかったり、ディスコに行って踊ったり、デートしたりしていたエピソードだ。

野球しか知らないと、どこかでそういう迷いが出て来るんじゃないかと聞いたら、「ああ……そこに関しては悩まないですね（笑）。べつにディスコに行ってみようかなと思わないです」とのこと。

なるほど、要は無趣味なわけじゃなくて、趣味の野球が仕事になっただけだと思えば、ボクなんかと同じで大谷翔平も趣味をとことん掘り下げすぎるタイプだったわけである。

インタビュアー自身が楽しんで聞きたいことを聞く。是即ちインタビューの基本也！

対談の名手と呼ばれる人も多い中で、ボクがいちばん好きなのは伝説のプロ野球選手・金田正一である。

昔から、この人は球界の大物なのになんで『週刊ポスト』誌上でヌードグラビアのカメラマンをやったり、『カネやんの美女対談　秘球くい込みインタビュー』という女性有名人へのセクハラ対談をやったりしているのか不思議でしょうがなかったんだが、おそらくロッテの監督時代、稲尾和久と悪口を言い合うことで遺恨試合を演出したり、乱闘にも率先して参加したり、独自のカネやんダンスを披露したりでパ・リーグの話題作りをしていたのと同じプロ意識によるものであり、そして何よりも自分がやっていて楽しかったんだと思う。

　思えば、カネやんが雑誌でセクハラインタビューをやっていたのは四〇代半ばから。つまり、いまのボクよりも年下で、当時六〇代の高峰秀子に「もちろん、（生理は）あがっちゃったでしょう」「でも、あがったように見えない。眩しいばかりの色気」と失礼な褒め方をしたり、「高峰さん、日蓮宗？」と触れにくいことをストレートに聞いたりしてたんだから大物すぎるよ！

　トップアイドル山口百恵相手でも、知名度皆無なロマンポルノの新人女優相手でも、差別することなく同じようにオナニーについて聞くカネやん。離婚直後の五月みどりがゲストのときは、こんなエグい秘球をくい込ませていくのであった。

金田　みどりちゃん、たまにはワシと遊ぼうよ。
五月　あのねェ、私、自信がないのよ、アソコに。
金田　何で？　ゆるんだの？
五月　（略）最近ちょっと形に自信がないの。（略）

金田　誰も見やせん、そんな崩れたの（笑い）

ひどすぎる！　でも最高！

相手のプライベートに土足で踏み込み、下品なことを言ってくる嫌な大人も裏では多いだろうけど、それをちゃんと誌面でオープンにやる人はほとんどいないはず。そこがカネやんの素晴らしさなのだ。

当時二五歳のフィギュアスケート選手、渡部絵美に対しては、「このコはまだ男を知らんぞ」といきなり決め付け、セックスの話題では話が転がらなそうだと察すると、おもむろに秘球をこっち方面に投げ込むのである。

金田　スケートをやってるとき初めて生理があったときは困ったでしょう？

渡部　なんでそんな話に……。

金田　いやいや真面目な話。ワシは真剣に取り組んどるの。

渡部　私、選手のときから生理がなかったから、そういう心配をしたことがない。

金田　エッ、生理がない⁉

そんなカネやんの秘球をキッチリと受け止められたのは、映画『エマニュエル』主演のミア・ニグレンだった。

金田　セックスは好き？

ミア　イエース（笑）。金田さんも好きですよね。

金田　イエス・アイ・ライク！　ツー・マッチ、ハッハッハ

ミア　オー！

と、まずはあっさり意気投合。そして、オナニー話でも国境を越えた熱い議論を交わすことに成功するのであった。

金田　日本の女性にもよく訊くんやけど、オナニーする？

ミア　私、毎日よ。

金田　エブリディか（笑い）

ミア　エブリディよ。血行をよくするためにね。（略）

金田　オナニーちゅうのは学校で教わったの？

ミア　本能的に覚えたの。学校では習わなかった。赤ちゃんが母親の乳房を求めるように本能的に覚えるものなの。

金田　「母親の乳房を求めるように……」素晴らしい表現じゃ。覚えてよかったと思う？

ミア　誰でもするものでしょ。

金田　ところが日本の女性は隠すの。スポーツマン・シップに欠けとる。

ミア　スポーツマン・シップ……!? （笑い）。日本の女性が隠すのは男性の責任だと思うの。もっとフランクに話せる状況を作ってあげなきゃ。

金田　実はこの対談ではセックスのことがフランクに話せるように教育してるつもりやけど、日本では異端視されとるの（笑い）

そう。カネやんは日本の性教育のために、ずっと体を張って頑張っていたのである！

直接会って話をしなければ、隠された人間性や意外な事実はわからないのだ！

ボクはもう一〇年以上、『週刊プレイボーイ』で連載中の『リリー・フランキーの人生相談』で進行役&原稿執筆を担当している。

もともとリリーさんが新宿ロフトプラスワンでやっていた『スナック・リリー』というイベントで、お客さん相手の人生相談をやっていた頃から勝手にサポート役を担当していたから、つまり昔は呼ばれてもいないのにノーギャラでやっていたことが、いまは仕事になっているってことなのだ。

当時、出版の世界に入りたてだったボクにちゃんと接してくれたことから、真樹日佐夫先生と並ぶボクの師匠と呼ばせていただくようになったリリーさんとの付き合い自体はもう三〇年近くになるが、最初の打ち合わせのときからリリーさんは二時間ぐらい遅刻したので、リトル・フランキーが表紙の本（高部雨市『異端の笑国』という小人プロレスのノンフィクション）を読みながら当時のリリー事務所で待っていたのを、いまでも覚えている。何度目かの打ち合わせでリリーさんが「俺、もうすぐ三〇歳になるんだよ……」と言っていたことも。

アイドル冬の時代と呼ばれていたあの頃、一緒にアイドルイベントに行ったり、アイドルDJイベントをやったりしていたことを思うと、まさかお互い独身のままこの年齢までくるとも思わなかったし、ボクがいまでもアイドルイベントに行っているとも思わなかったし、リリーさんが映画やCMに出まくったり、ボクがたまにテレビに出るようになるとも思ってなかった。そして、お互いに独身のまま既婚者たちのセックスレスの相談に乗っているとも思わなかったのだ。人生いろいろ。

柴田錬三郎、遠藤周作、今東光、岡本太郎、石原裕次郎、野坂昭如、赤塚不二夫、松山千春、アントニオ猪木、松本人志などなど、各界の大物たちを起用した歴史のある『プレイボーイ』の人生相談企画でも、いつの間にかリリーさんが最長寿連載になった。その理由は、相談者を呼び出して直接話を聞くというやり方が面倒だから誰もやっていなくて、でもやってみると面白かったからということなんだと思う。

直接会って話を聞かなければわからないことも多いし、実際に聞いたら話が全然違うことも多いし、どういう人間なのかがわかれば一瞬で謎が解けることも多い。人間関係のトラブルについての相談だったのに、掘り下げていくと実はその相談者が童貞や処女で、それを変に隠そうとしたり、もしくは童貞や処女が長いせいで何かをこじらせて意固地になっているだけだったりと、世の中のトラブルのほとんどの原因はセックスなんだなということも思い知らされるばかりなのだ。

数年前、元彼が結婚したのがショックだという女性弁護士がやってきたときも、そう痛感させられたのだった。

その元彼もテレビに出たりしているタレント弁護士で、別れるときに大揉めして彼女が大暴れした結果、彼氏が診断書を取ったりで、弁護士同士ならではのバトルに発展。

彼女の性欲もすごくて、一〇歳年下のセフレに恋人が出来てもう会わないと言われた瞬間、「あなたの会社も部署も全部知っているので、会社に内容証明郵便を送りつけることもできる」って弁護士モードで脅したとか、同じ日に人生相談に来ていた一〇歳年下の消防士を性奴隷としてスカウトして、半年ぐらいヒモにしていたけど、あまりに絶倫すぎて消防士がギブアップしたら、「家に住まわせてもらってご飯も食べさせてもらって、それでセックスができひんってなんや！　仕事潰すで！」と六時間説教したとか、裁判したら負けるレベルの悪行三昧！

それでいてルックスもキャラもいいから、「とりあえずタレント向きではあるね。元彼より間違いなく面白いよ」「今後、タレント活動したくなったときは言ってくださいね、ウチの事務所でマネジメントしますから」とリリーさんに言われ、「あ、テレビに出たいです！」「子供も欲しいから、養育費だけもらって産むのを考えてます」と、言っていた彼女がいまは普通にテレビに出るようになり、作家・樋口毅宏の子供を産むまでになるとは、これまた誰も思わなかったのであった。

会話の中で相手の発言に対する相槌は非常に大事。相槌一つで全てを台無しにしかねないのだ！

インタビューというか日常会話でもそうなんだが、相手の発言に対して相槌をどう打つのかは重要なポイントである。

相手の話に同意しているわけでもないのに、とりあえず「はい」と言ったら面倒なことになるのは、長州力に説教されているときの安田忠夫のケースを見ればわかってもらえると思う。

説教とか心底かったるいからずっと「はい、はい」と面倒くさそうに返事していた安田は、「……お前、バカにしてんのか?」と聞かれたときも流れで「はい」と言っちゃって長州力を激怒させたりとか、かと思えば天龍源一郎の場合、何を言っているのか聞き取れない相手が、とりあえず流れで「はい」と返事すると突然、「なんだとコラ！」と怒り出すのが持ちネタになってたりもするので、「はい」の使い方には気を付けたいものなのである。

……とか言っているボク自身、「はいはい」と二回連続で言う癖があって、ボクが出演しているラジオを聞いていた母親から「あれは良くないからやめなさい」と注意された側だったりもするんだが、この「はいはい」は意図的に軽い感じを出すためにやっていることなので、長州力相手にこれをやったら、『はい』は一回でいいんだよ、コラ！」と、カチ喰らわされるところだろうが、そこは勘弁していただきたい。

インタビューでも相手が気持ちよく自分の話をたっぷりと語っているとき、「あなたの話をちゃんと聞いてますよ！」というアピールはしておかなきゃいけないから、相手の目を見ながら頷いたり、話の邪魔をしないレベルの相槌が必要となってくるんだが、これがまた意外と難しい。

自分がどんな相槌を打っているか自覚のないケースも多かったりするが、ボクがラジオを聞いていて気になったのがライムスター宇多丸さんのケースだ。

最近、映画『アウトレイジ最終章』のパブリシティで北野武がゲストだったとき、宇多丸さんは尋常じゃなく緊張していたせいか、北野武の発言に「うんうんうんうんうんうん」と相槌を打っていて、「それ、下手したら恫喝されるよ！」とハラハラしたのである。

宇多丸さんにハラハラしたことは前にもあった。

映画評論家・町山智浩さんと映画『ハート・ロッカー』をめぐる論争になり、急遽国際電話で討論してポッドキャストで配信することになったとき、やっぱり宇多丸さんは「うんうんうんうん」と連呼していて、話が平行線を辿るようになると、思い切り不満そうな低い声で「……はい」と言ったりで、「これ、下手したら相手を激怒させる相槌だよ！」と思い、すぐにボクは当時やっていた『豪さんのポッド』というポッドキャスト番組でネタにした。

映画『ハート・ロッカー』を観ていないので、どっちが正しいのかはわからないけど、イラク駐留アメリカ軍の爆発物処理班を主人公とした映画『ハート・ロッカー』をきっかけに、宇多丸さんの相槌が何かのＩＥＤ＝即席爆破装置のスイッチを入れかねないことだけはわかったためである。

すると町山さんが Twitter で、「宇多丸くんはツイッターやってないんだよね。おれ、メアドや電話聞いてないから連絡方法がわかんないや。宇多丸くん、もし読んでくれたら、ごめんね。おれ、本当に大人気なかった。すごく傷つけちゃったよね。本当にごめん。嫌いにならないで欲しいんだけど、やっぱ無理かな……」「吉田豪ちゃんのポッドキャストを聴いて宇多丸くんの声を聴き直したらものすごく怒ってるのがわかったんです。話してる時は気付かなかったけど。失敗しました。反省しているとお伝えください」と反応していて、このヘコみっぷりもキュートすぎる！

そして、宇多丸さんは異常な論争好きで、酔っ払うと誰かを論破しようとする、通称・論破ールーム状態になる人だから、もしかしたら無意識のうちに相槌自体が挑発行為になるように進化してきたのかもしれないと、ふと思った。

「戦争とは麻薬だ」（『ハート・ロッカー』）し、論争も麻薬だから、きっとやめられないものなのである。

聞き出す力――其の七

コミュニケーションが取りづらい相手にはカウンセラー的な立ち位置で臨むと吉！

今年（二〇一七年）のミス・iDも、やっぱり例年通りに過酷だった。

ミス・iDとは公式サイトによると「数あるモデルやグラビアや雑誌の冠オーディションとはまったく違う、『世界にひとりだけの女の子』を探し、その人にあった新しいスタイルで世に出そうというオーディションプロジェクト」とのことなんだが、世間では「メンヘラによる変わり者バトル」の場だと雑に受け止められていたりする。

つまり同じ講談社がやっていたミスマガジンとは真逆の、心を病んだ応募者が多いオーディションなのは事実だけれど、それは単純に「普通のオーディションなら真っ先に除外されそうな人を受け入れた結果」なだけのことであり、神スイングでお馴染みの稲村亜美も受賞していたりで体育会系の人も毎年受けているし、他にもいろんな意味でアウトな人たちを受け入れてきた。

最初の年のグランプリが玉城ティナだから、一見ちゃんとしてそうに見えるだけで、そのときからヤンキータトゥーアイドルやらガチ引きこもりSFアイドルとかが上位入賞していたし、ボクが審査員に加わった二年目からはそっち方面がさらに強化。

既婚者NGだったのが結婚を隠して受けた人がいたから既婚者もOKになったり、男が受けてもOKになったり、アメリカ人が受賞したら翌年にはアメリカからの応募が殺到したり（しかもアイドル性皆無の本格的なソウルシンガーみたいなタイプ）で間口も拡がり、グランプリに選ばれるのも死ぬほど声が小さくて面接で全然喋れない子（蒼波純）だったり、面接に八時間遅刻してきた子だったり（金子理江）になってきたのだ。

今年も、ゲスの極み乙女・川谷絵音とのスキャンダルで事務所から契約解除された「ほのかりん」が受賞したり、交際発覚でグループをクビになった某アイドルが、「私みたいな事故物件はミス.iDぐらいしか受け入れてくれないから」と言っていたように、元HKT48菅本裕子が受賞してからは、ミス.iDをスキャンダル・ロンダリングの場だと思っているような子も急増。

さらに、ＡＤＨＤとかの発達障害を抱えていることや、内緒で風俗勤務していること、家族の信仰問題なんかをカミングアウトする子も増えてきて、ずっと引きこもっていて会話もほとんど出来ない子も多いから、そういう子たちと一〇〇人単位で話すのがどういうことなのかわかってもらえるはず。

「ミス iＤの女の子はイベントとかで一人と話すだけでも大変なんだから、審査員はすごい」と言ってる人がいたけれど、これぐらい「聞き出す力」が発揮される場もちょっとないはずなのだ。

ボクは審査員として唯一、全応募者の最終面接に立ち会い、その日が締め切りの原稿を書きながら何日もフルで質問を繰り返すという過酷な体験を今年もさせていただいたんだが、もはや会話の内容はカウンセリング＆進路相談。いろいろ話を聞いていると、「いままで、いろんなオーディションを受けてきたけど、ここまでちゃんと話を聞いてくれたのは初めて」「他のオーディションは受賞者が最初から決まってたりして、何も知らずに応募したらそこに存在しないぐらいの扱いをされる」とか言われがち。知らないけど、どうやら他のオーディションはだいたいそんな感じらしいのである。

ミスiDはほかのオーディションと違って、これを受賞したら確実に雑誌の表紙になれるとか歌手デビューできるとか映画の主演になれるとか、そういう道が用意されているわけでもないけれど、それがないからこそ利権が絡むこともなく、誰からも介入されないガチの審査ができてるわけで。

とある年に、「あの〜、○○さんの事務所から『ウチの○○をグランプリにしないんだったら途中で棄権にするぞ』って言ってきてるんですけど、みなさんは気にしないで審査して下さい」と言われたことはあったけど、その結果、かなりの逸材だったその子がグランプリを逃すことになっちゃったりで、とりあえずガチさだけは信用できるオーディションなのであった。口の軽い審査員ばかりだから、おかしなことをしたら即バラされるのに！

聞き出す力——其の八

デリケートな話にあえて踏み込むことを恐れないことは大事。しかしそれは関係性あってのことなのだ！

でんぱ組.inc 脱退後初の、最上もがソロインタビューをやらせていただいて、それがまたなかなかの反響だった。
なぜそこまで騒がれたのかといえば、脱退直後というかなりデリケートな時期に、かなりデリケートな人の最もデリケートな部分をたっぷり掘り下げて、それが嫌な感じになっていなかったからだと思う。取材直後、担当の人が、「吉田さんに頼んで良かったです。僕が聞き手だったら、受け止めきれませんでした」と言っていたのが印象的。そこまで踏み込めた理由は、付き合いが長くて売れる前から交流があったから、というのは単純に大きいのだろう。というか、それだけの話だとも思う。

そもそも、最上もがでんぱ組に加入したとき、おそらく最初にソロインタビューをやったのもボクだった。ブレイク前からでんぱ組の曲やキャラクターが気に入り、ボクが作ったコンピ盤にインディーズ時代のデビュー曲を入れたり、その発売記念イベントに出てもらったりと、でんぱ活動初期には繋がりも深かったので、そこに当時アイドル界ではまだ珍しかった金髪ショートの暗いオーラをまとったかわいい子が入ってきたから、すぐに話を聞きたくなったわけなのだ。

その時点で彼女のガチ引きこもり&ネットゲーム中毒な話のみならず、実は別名でグラビアアイドルだった時期もあって、『みうらじゅん×リリー・フランキーのグラビアン魂』（週刊SPA！）に出演していたことも聞き出し、その名前こそ教えてもらえなかったけど、帰宅してすぐに『グラビアン魂』公式サイトをしらみつぶしに確認して当時の芸名を把握し、当時唯一のDVDが底値でネット販売されているのを探し出して購入。

すぐにリリーさんにも報告し、さらにその旧名で検索を重ねて、彼女のお父さんの母校のOB会のホームページで「〇〇さんの長女が『SPA！』に載りました！」と報告しているのも発見。ボクがインタビューやイベントで最後に彼女と絡んだのは五年ぐらい前という微妙な距離感ながら、そういう関係があったのである。

今回、事前に事務所サイドから言われていたのは「でんぱ組脱退の理由はNG」とのことだったので、「脱退の理由はNGだと聞いています」と切り出すと、「ぼくは全然話してもいいんですけど……」とのことで、そこを中心に話を聞くこととなった。理由は「体調不良」とのことだが、要はメンタル由来のものなので説明が難しかった模様。

でんぱ組っていうのは引きこもりが初めて社会に参加したみたいな人が集ったグループだったので、だからこそちゃんと喧嘩して仲良くなるみたいなことが死ぬほど下手な人たちで、それがでんぱ組の武器であり、特色であり、欠点でもあった。

「個人的にはでんぱがもっと売れてほしいといまだに思ってますし。でも、情報とか見ちゃうと自分がいないことにショックを受けるんで、あんまり見てないです。ファンの子も気軽にでんぱのときの写真を送ってきたりするんですけど、そのたびに泣いちゃうというか(苦笑)。(涙ぐみながら)自分って面倒くさいなと思いながら見てるんですけど」

こうしてインタビュー中に涙を流し、「消えたい」「ぼくはまったく必要とされてない」などと言い続ける彼女を何度も励ますという、ほぼカウンセリングみたいな展開になったんだが、もともとオンラインゲームぐらいでしか人とは関わらなかったようなガチ引きこもりの人が、いままた引きこもり、オンラインゲームを再開してようやく生きる希望が出てきたというのは、すごいでんぱ組らしい話だと思う。

　大きな事務所に所属しないまま売れたアイドルグループといえば、でんぱ組と、生ハムと焼うどんぐらいなんだが、つくづくアイドルにとって売れるとは何なんだろうと考えさせられるばかり。グループ内の人間関係に亀裂が入って活動休止に至った生うどん・東理紗に、最上もがが「私は誰にも必要とされていない」と言い出すぐらい深く自信を喪失している話をしたら、彼女も共感してイベント中に突然涙を流し始めたのを見て、そう思ったのである。

　どんなに売れても、どれだけ可愛くても、どれだけ才能があっても、悩みなんてなくなるわけがないんだよなあ……。

何かしら接点がある相手にインタビューするのは確かに楽なこともあるが決して油断することなかれ！

ボクは基本的に「好きな人」や「興味のある人」しかインタビューしない主義なので、たまに「あの人がすごい不愉快だから、豪さんのインタビューで裏側を全て暴いちゃって下さい！」とかリクエストされると本当に困る。

そんなボクが俳優の長谷川博己をインタビューしたのは「確実に同じ時期、同じ場所に出入りしていたから」という理由だった。

いまから二〇年ぐらい前、ボクが所属していた『紙のプロレス』という雑誌が分裂し、その一部が某格闘技ＣＳチャンネルの立ち上げスタッフになったとき、ボクも放送作家としてそこに関わって欲しいと頼まれ（実際には企画会議に一回参加しただけ）、それならと思って勉強のために師匠であり放送作家でもあるリリー（・フランキー）さんがやっていたラジオの構成を手伝っていた時期がある。

ちょうどボクが『マンガ地獄変』（水声社、一九九六年）や『悶絶！・プロレス秘宝館』（シンコーミュージック、一九九七年）のメインライターになったりはしたけれど、世間的な知名度はまだ全然なかった頃だ。

後に『東京タワー　オカンとボクと、時々、オトン』（扶桑社、二〇〇五年）の舞台になった笹塚のボウリング場下にあったリリーさんのマンションに出入りして、亡くなったおかんとも交流していたとき、そのマンションにマガジンハウスの学生バイトが原稿を取りに来てもリリーさんが平気で二〜三時間放置してギターを弾いたりしながらダラダラして、それから原稿を書き始めていた光景をよく見ていたんだが、そんな学生バイトの中の一人が後の長谷川博己だったのである！

こっちとしてはサボれるんでいいなって思ってたんですけど（笑）。ずっとタバコを吸って映画を観てられましたから。そのときにいろんな映画の話をすると、リリーさんがイラストを描くのやめてこっちの話に夢中になってくれて。どんな映画が好きなんだとか、そういう話をしてましたね。

当時、リリーさんは部屋中に昭和の貴重な東映映画とかのポスターを壁紙のように貼っていて、そのポスターに反応したバイトの子は長谷川博己ぐらいだったと言っていた。

たぶんそうですね。映画に興味ない人は興味ないでしょうから。そこでバイトしてた女性なんか「すごいエロチックなものばっかりあったから目のやり場に困った」って、セクハラ受けたみたいな感じで俺に言ってきましたからね（笑）。（略）要は東映の石井輝男さんとかのエログロ的な映画のポスターとかに反応したってことですね。

リリーさんがポスターを買っていた中野ブロードウェイの某店はマナーにうるさくて、作法通りにポスターを見ない客はオヤジが平気で怒鳴りつけるけれど、ちゃんとした客には突然缶コーヒーをプレゼントしてくれたりするとリリーさんが言っていた。

ボクも何度も通ったある日、店のオヤジに突然声を掛けられて、「ようやく認められた！」と思ったら小銭を渡されて、「缶コーヒー買ってきて」とパシリをやらされたこともあった。そしたらその缶コーヒーを一本くれて……などと取材時に話したら、長谷川博己も「僕もそこ行きました！」なんて感じで意気投合。

こういう接点があれば取材は本当にやりやすいし、いつものビジネスモードとは違う感じで初対面でも話すことができたわけである。

なお、アングラ趣味の持ち主だった長谷川博己は、石井輝男監督の『盲獣VS一寸法師』のオーディションに行ったものの、尊敬する監督に会えたことで緊張しすぎて自分の芝居が全然できず、そしてこのオーディションに落ちたことがきっかけで「役者をやるなら訓練が必要だ」と思って新劇に入団。

それから一〇年近く地道な俳優活動を続けることになるが、この『盲獣VS一寸法師』で俳優デビューしたのがリリーさんというのも、よくできた話なのだ。

彼は当時から映画監督になりたいという夢をリリーさんに語っていたそうなんだが、当時リリーさんは撮影機材を持っていて、ロフトプラスワンでのイベントの常連客だった山田広野や坂本頼光といった面々に貸し出してショートフィルムを撮影&上映していたから、もしかしたら長谷川博己がアングラ側のままいまも監督として活動していた未来もあったかもしれないのである。

聞き出す力――其の十

どんなにキツイ質問をする場合でも、ハラスメントのことは常に頭の片隅に置いておくべし！

世の中がセクハラに対して厳しくなればなるほど、人権なんて概念がまだほとんど存在していなかった昭和のアイドルインタビューがどれだけひどかったのかを思い出す。

実際、『月刊平凡』のバックナンバーを読むと、スキャンダル要素皆無のちゃんとしたアイドル雑誌のインタビューにもかかわらず、かなり自由にセクハラが行われているんだから、あの頃は本当にどうかしていたのだ。

たとえば「ひっぱがしマン参上！」というインタビュー連載企画で、松本伊代がゲストのときはこんな感じだった。

デビュー直後、まだ一六歳の松本伊代に「ヒャー、ずいぶんスリムだね」「これからますます忙しくなるよ。たおれちゃうんじゃないの」なんてテンションで初恋だのスリーサイズだのについて聞きまくる、ひっぱがしマン。ここまでは一応、アイドル雑誌らしい展開。

そして、「今一六歳でしょ？　顔付きは年より上に見えるけど……」「そう言われるのはうれしい？」と無難な質問を口にした後、こんなキツい質問をぶちかますわけなのである！

「初潮はいつ？」

エゲツない！　そもそも唐突すぎるよ、それ！

さすがに「（唐突な質問に大きな目をより一層大きくして）ハー？」と聞き直す伊代ちゃんと、気にせず「ホラ、女性になったしるしだよ」と追及する、ひっぱがしマン。

観念したのか、「ああ、いつだったかなァ！（立派なもんです。泰然として顔色も変わりません）確か中学一年の終わりだったと思います」と答える伊代ちゃんに、「ビックリしただろ」と言い、「おかあさんに相談したら、だれにもあることだから、心配しないでいいって言われたので、安心しました」という回答を引き出すと、続けざまに「じゃあ、その時に赤ちゃんはどうしたら生まれるか知ったんだ」と言い出すから恐ろしすぎる。

結局、この頃はアイドルに下ネタを聞くためには性教育を利用するのが便利だっていう発想だったんだと思う。

山口百恵という超大物アイドルが大ベストセラーとなった『蒼い時』（集英社、一九八〇年）で初潮&初体験について告白した結果、アイドルが初潮について語らざるを得なくなったんじゃないかとボクは推理しているんだが、たぶん当たっているはず。

いやらしいエピソードを引き出す手段として、ひっぱがしマンが「痴漢に遭ったことは？」と聞くのもいまとなってはアウトだろうけど、当時はそれが当たり前だったのだ。

このひっぱがしマンは早見優にも恋愛経験を聞きまくるが、幼稚園のときファーストキスをしたとか、アイドルらしい答えしか返ってこなかったために、やっぱりこう言い出す。

「馬鹿にされてるのか、うまくかわされてばかりだ。もう、とどめの一発。赤ちゃんの生まれるしくみを知ったのは？」

すると、彼女もあまり動じることなく「小学校五年のとき。私は、おなかを切って生まれると思ってたの。そしたら親友が、お祈りすると生まれると言うの。そしたら、すすんでる子が、からだのしくみを教えてくれたの」と語り始め、「生理なんかは？」という質問にも、「はいひとなみに。小学校五、六年のころから、ママに聞かされましたから、ショックはありませんでした」と返答。

これは当時、全てのアイドルが受ける洗礼だったのだ。

なお、この手の告白でボクがいちばん衝撃を受けたのは、『週刊平凡』一九七二年一〇月一二日号の「先生、同級生のみなさん、私も〝おんな〟になりました。森昌子、一三歳一〇か月二五日目にして初潮が…」という記事。

親やマネージャーや作曲家・遠藤実先生のコメントも集めて、一九七二年九月一八日一六時二〇分に訪れた森昌子の初潮を立体的にしていくんだが、「一〇月五日に『同級生』という新曲を出すのですが、これで私もほんとうに同級生の仲間入りができたという感じです」という森昌子のコメントに戦慄。

つまり、『せんせい』でデビューした彼女の新曲『同級生』のパブだったのである。

この頃の平凡出版＝マガジンハウスは狂ってる！

聞き出す力——其の十一

長時間にわたって人前でトークしなければならないときはテンション上げすぎな芸人風トークは避けるべし！

ここ何年か毎年五月三日には新宿ロフトプラスワンで『豪さんの日』という昼夜イベントをやっている。それだけでも過酷なのに、去年（二〇一七年）からは昼夜の間に「夕方の部」も開設。

さらに今年（二〇一八年）は単行本『帰ってきた人間コク宝』（コアマガジン）の発売記念イベントを兼ねていたので休憩中も終演後もサインをし続けて、一三時スタートの昼の部（ゲスト：玉袋筋太郎&安東弘樹）、一七時スタートの夕方の部（ゲスト：木村一八）を経て、二〇時スタートの夜の部（ゲスト：リリー・フランキー）が終わったのは終了予定の二二時半を五時間超えた深夜の三時半！　トータル一四時間半やりきりましたよ！

その三日後には二年連続、同じ日に大会場で長時間のトークを繰り広げるという記録も達成。

二〇一七年五月六日には日本武道館を使ってライブではなく物販だけを行う『武道館アイドル博』というイベントがあって、そこでほぼ面識もなく情報もない地下アイドルの方々とトータル一〇時間話し続けるという一〇〇人組手みたいな荒行に挑み、今年の五月六日には、さいたまスーパーアリーナの『ビバラポップ！』でアイドルの方々とトータル九時間話し続けたわけである。

どっちもステージでパフォーマンスしたわけじゃなくて、ただ単にネット配信していただけとはいえ、これも頑張った！

今年は面識ある人が多くて一時間少ないから、まだ楽だった気がするのも正直どうかしてる！

なお、長時間のトークを乗り切るコツはテンションを上げすぎないことに尽きる。

この手のイベントでよくあるテンションの異常に高い芸人風トークは、そのパワーと勢いでなんとなく面白げに感じるけれどよく聞いたらこれといって面白くないこと多数なので、長時間やるとボロが出るし、そもそも体力的にもしんどいので、淡々と面白くするしかないのだ。

　そんな『ビバラポップ！』で終わった今年のゴールデンウィークは、そもそもデタラメすぎてネットでバズりまくっていた奈良のアイドルイベントで三日間司会をしたことで始まったから、もはやボクの本業は司会なんじゃないかと思えてくるレベル。プロ司会者！

　奈良のアイドルイベントでは初めて浅香唯さんとも絡ませていただいた。過去に大西結花＆中村由真を取材してきたから、これでようやく風間三姉妹制覇！

　このときイベント運営側からは「会場内で忍者ショーをやっている関係で、忍者がモチーフだった『スケバン刑事Ⅲ』について聞いて下さい」と指定されていたのに余計な話をいろいろ聞いたら、「いつもこの手のイベントだと『スケバン刑事Ⅲ』はどうでした？程度しか聞かれないのに、吉田豪は短い時間で映画版『ＹＡＷＡＲＡ！』やロック路線の話も聞いてくれてさすがだった」と浅香唯ファンの人がネットに書いてくれて嬉しい限り。

　ただ、どうせなら初期の知られざる名曲『ヤッパシ…Ｈ！』（オリコン最高一一一位）の話を掘り下げたことも評価していただきたいものなのである。

当時一七歳ながら「恋のアルファベットが過激に進めば、Ｉの手前はヤッパシＨ！」などと歌わされたことについて、彼女は、「あの頃はまだ男性とも何もなくて、何も知らなかった」とか言っていた。つまり、いまでは完全なセクハラ＆パワハラ案件！

当時は松田聖子も「入り江の奥は誰も誰も知らない秘密の花園」と歌ったり、河合奈保子も「誰もさわってナーイナイ」「ふるえる胸の奥の奥なの、秘密のお家へと続く道」「大きな森の小さなお家」と歌ったり、要は二人とも女性器について大人に歌わされていたわけで、昭和のアイドル歌謡は凶悪すぎ！　ヤッパシＨなのは作り手側！

そんな話から、「いまどきキスだの何だのをＡＢＣでは表現しないですよ」って話になり、「このＡＢＣって、いい振りになってないですか？」と言って名曲『C-Girl』（オリコン最高一位）につなげる司会ぶりもすごい……ですよね？　と自画自賛しておく次第なのである。

聞き出す力——其の十二

芸能人の記者会見等で、聞かれたくないことを完全シャットアウトせずに、軽くいじらせるほうが毒抜きになる！

二〇一八年、地上波のワイドショーで、石原さとみとの交際が報じられたばかりのSHOWROOM前田裕二社長と、指原莉乃と乃木坂46メンバー（衛藤美彩&新内眞衣&与田祐希）と並んで、なぜかボクまでマスコミに囲まれる光景が放送されるという事故みたいな出来事があった。

ちなみにボクが記者会見に登場するのは一二年前、師匠であるリリー・フランキーと講談社が社運を賭けていた雑誌『KING』の創刊記者会見に登場して以来である。

そのときはリリーさんが、「俺と豪を記者会見に引っ張り出すなんて、この雑誌は絶対に長くない」と予言した通り、『KING』はわずか二年で休刊。講談社に致命的なダメージを与えたんだが、今回、なんでまたボクを引っ張り出すようなおかしなことになったかというと、そこにはあの大物が関わっていたからだ。

いまから数ヶ月前、あるＡＫＢ関係のライターからこんなことを聞いたのである。

「豪さん、『ラストアイドル』の会議で秋元康さんが『これからは吉田豪を売り出す』って言ってたらしいです」

って、なんだよ、それ！

そしたら、ある日。何の面識もなかった前田裕二社長に呼び出されて、「秋元康さんの推薦で、吉田さんにＳＨＯＷＲＯＯＭで番組をやって欲しいんですよ」と言われたというわけなのだ。

他の出演者は指原さんと乃木坂と、あとキングコング西野さんとホリエモンとかで、そういう人たちを集めた記者会見もやると聞いて、男性陣は知り合いばかりだなと思いながらよくわからないまま現場に向かったら、面識のある他の男性陣は誰も来ていないことが判明。こうしてボクがトップアイドルと、いま世間で話題のＩＴ社長と並べられる事故が起きたのであった。

この日、かなりの数の報道陣が集まった理由はもちろん新番組ではなく石原さとみについてみんな聞きたいからであり、ＳＨＯＷＲＯＯＭ配信のコメントを見ても石原さとみ絡みのコメントだらけ。しかし、報道陣がその件について聞くのはＮＧになっているっぽかったので、誰にも望まれないまま、この現場に紛れ込んでいるボクが出来るのは、そんな期待にある程度応えることぐらい。なので、前田裕二社長が「新番組では、いま話題の人とかを呼びたい」と言えば、「いま話題の人といえば、ボクの中では一人しか浮かばないんですけど……」とか、意図的に話題をそっちに転がしてみた。ボクはそこに一切触れちゃいけないと言われてもいないので、適度に触れつつ、なおかつ変に踏み込みすぎないというバランスで何度かいじってみた次第なのだ。

場違いながらもそれなりに仕事をこなして会見を終えると、某ワイドショーが前田社長とボクの二人をインタビューをするらしい。前田社長はわかるが、なぜボクなのか？　二人にそれぞれ「人生の中で大切にしていることはありますか？」と質問してきて、ボクが答えても何の興味もなさそうにしているのはなぜなのか？　その答えは、最後のこの質問で明らかになったのだ。

「吉田さん、プロインタビュアーとして、いま前田社長に何を聞きたいですか?」

もちろん、ボクは即座に、「それ、あからさまに何かを聞かそうとしてるでしょ、ボクに。大人の事情で聞けないことを、ボクに地雷を踏まそうとしているだけですよね」と返したわけだが、要は「私たちは石原さとみさんについて質問できないから、そこは吉田さんが聞いて下さい」ってことだったのである。

会見の席上でいじっちゃいけないことを軽くいじるのは、そこに一切触れないで会見を終わらせるよりも絶対にいいはずだし、毒抜き的な役割も果たせるけれど、個別取材でそこに乗っかる気はないので、「ボクが聞きたいのは、両親を失ってかなりの貧乏生活を送ってきたことは有名なんですけど、それが実は本に書かれている以上に壮絶で洒落にならないレベルだって噂を聞いたから、そこを掘り下げたいです」とか言ったら全カット。聞いちゃいけないことをいじるのは好きだけど、他人の恋愛には一切興味ないのであった。

第2章

一筋縄ではいかない相手に効果アリ！

――一段上の「聞き出す力」

聞くべきこと、あえて聞かないこと。インタビューにおいては、この取捨選択が大事となる！

後藤真希は、若くして本当に壮絶な人生を送ってきた。

表面的には、夏休みに金髪にしていたちょっと派手めな一三歳の少女がオーディションに一人だけ合格し、いきなりセンターに選ばれ、彼女の加入をきっかけにモーニング娘。が国民的アイドルになるという輝かしいスター街道しか目に入らなかったと思うが、彼女が小学五年生のとき父親が奥久慈男体山でロッククライミング中に事故死……。

父親の最後のロッククライミングに同行していた弟の後藤祐樹も彼女のコンサート会場でスカウトされてアイドルになるが、仕事を抜け出して逃亡したりの問題を起こした後、一五歳にしてキャバクラで飲酒する姿が写真誌に載り、芸能界から追放された。その後は結婚して子供も二人出来て落ち着いたかと思った頃、銅線泥棒で逮捕……。

このとき人目も気にせず弟に面会に行ったのも彼女だった。

そしてスターになった彼女は、デビュー二年目にして自分の稼ぎで家族みんなで住めるようにと三階建ての自宅を新築。二〇一〇年にはその自宅三階の、逮捕されて誰も使っていなかった後藤祐樹の部屋から母親が転落死……。

このときオフで自宅にいて、母親の第一発見者となったのも後藤真希だったのである。

最近、ボクが後藤真希のインタビューを頼まれて悩んだのはこうした壮絶な話に触れるかどうかということ。

弟の後藤祐樹はボクも出所後に二度ほど仕事をしていてエピソードはいろいろ聞いているけれど、結局しんどい話には一切触れず、楽しい話だけをすることにした。

精神的に疲れ果てて芸能界を引退しようと思ったけれど、ファンのために活動を続けることを選んだ彼女に、「こうして活動してくれるだけで感謝みたいな部分はあるので。一時は本気で引退を考えたぐらいの人が、いまも元気でいてくれるだけで」と伝えた上で。

なので、「ボクの周りはほぼ全員、あの頃の後藤さんが原因で頭がおかしくなってたんですよ」「(この雑誌『ＢＲＯＤＹ』の編集長も含めて)後藤さんの実家がやってた居酒屋にも行くレベルの人たちが山ほどいたんで」という馬鹿話を掴みに選んだら、彼女はお母さんや居酒屋のことを楽しそうに話してくれた。

この居酒屋とは、彼女の母親が地元・江戸川区で経営していた『袋田の滝』のこと。父親が亡くなった山の近くにある有名な滝が店名の由来で、彼女や彼女の姉も仕事を手伝っていたから、ヲタが大量にこの店に集結。そんなの普通は完全にアウトのはずなのに、気さくな彼女の母親はヲタ連中とも楽しく飲んでいたわけなのだ。

そんな彼女に負けないぐらい壮絶な人生を歩んできたのが加護亜依で、ボクも何度か仕事をしたが、「ごっちん(後藤真希)とは同じような匂いを感じて、いつも彼女にまとわりついてた」と言っていたのを覚えている。

モーニング娘。に『ＩＷＩＳＨ』という曲がある。後藤真希と加護亜依を中心に「人生は素晴らしい」と歌う曲で、当時はヲタが「なんでこんな子供に人生を語られなきゃいけねえんだよ！」ぐらいのことを言っていたけれど、この二人にはそれを歌えるだけの人生の重みがすでにあったし、いまはこの二人が「人生って素晴らしい」って歌う姿を見るだけでも思わず泣きそうになる。

そんなことを伝えたら、彼女は「逆にあれぐらいの世代だから歌えたっていうのもありますね」「いま歌うともう重さしかない感じに思えちゃう」と言っていた。

彼女のエイベックス移籍がもう一〇年前で、モーニング娘。に入ったのが約二〇年前。そして、いろいろありすぎてもう古巣と絡むのは不可能だとさえ思われていた加護亜依が、モーニング娘。二〇周年企画で一二年ぶりにハロコンに復帰し、そこに後藤真希もゲスト参加することが発表された。

そんなことも一切知らず、ボクは後藤真希にそういう話ばかりを聞いて、彼女は、「フルメンバーが集まるんだったらいままで応援してたファンも絶対に全員集まれって思いますけどね（笑）」とか言っていたのであった。いろいろ大変なことがあった吉澤ひとみなんかも含めて、いつかフルメンバーで集まって欲しいし、いろいろあってもやっぱり人生って素晴らしいのである。

聞き出す力――其の十四

取材対象が非常識で危険な魅力があればあるほど記事はインパクトが出るものなのだ！

自分の行動にとことん自覚的なアイドルと、とことん無自覚なアイドルを同じ日にインタビューするという、珍しい体験をさせていただいた。

無自覚代表が、ＢＥＬＬＲＩＮＧ少女ハートの朝倉みずほ。自覚的な代表が、元ＳＫＥ48の松井玲奈である。

朝倉みずほは、歌も発言も動きも全てがプリミティブで、よくこの状態のまま成長したなと感心するレベルだから、ボクは「アイドルの天才」と呼んでいるんだが、インタビューをしていても突然無言になったり、手をひらひらさせたりのリアクションで答えたり、突然「豪さん！」と叫んだり、そもそもアナログの時計も読めないタイプなので

「ひょうひ税もなくて」「消費税ですね」「ひょうし税?･」「違います」「しょうし税?･」「消費税です」などといった空っぽすぎる会話を繰り返す羽目になったりするんだが、それはそれでアイドルとしては一〇〇点だとボクは思う。

それと松井玲奈は真逆のタイプ。

まず最初に「さっきまでベルリン少女ハートを卒業する朝倉みずほって子の取材だったんですよ」「『このあと松井玲奈さんの取材です』って言ったら、『こっそりついてっていいですか?･』って言われたんですよ」と報告した流れで、彼女の好きなアイドル像を聞かせてもらったら、興味深い答えが返ってきた。

「謎な子が大好きなんですよ。自分の持ってない何かしらの大きなものを抱えている、そういう感じがすごくワクワクさせてくれるというか」

「いつか切れちゃいそうなあの感じが大好きなんです。自分にないなと思うし、だからあこがれるんだと思います、そういうふうになりたかったなっていうか、なりたいなというか」

つまり自分が常識的すぎるから、そうじゃないタイプに憧れるとのこと。

そして自分がオタクだからこそ、「自分が握手会でどうしてもらったらうれしいかとか、ライブでどういうパフォーマンスだったりどういうことをしゃべったら人の記憶に残るか」を自覚的に考え続けた彼女は、「客観的ですね。自意識のかたまりみたいな女なんで、よくないなと思ってます」と自己分析してみせる。

これ、実はボクとほぼ同じタイプなのである。

常にもう一人の自分が俯瞰で見ていて、冷静に計算して物事をこなせるんだけど、だからこそ逆に、熱く暴走するタイプに憧れるのだ。

そんな彼女だからインタビューしても、ちゃんと深い話が出来るし、フレーズの斬れ味もいちいち最高！

かなりのコミュ障なので、アイドルイベントのバックステージでも「周りの人に助けてもらいながら、（略）基本、水飲み鳥みたいにずっとペコペコしてる感じです」とか、初めてAKBの選抜に選んでもらったときに「ハッ、私いま天井から蜘蛛の糸降りてきた！」と思ったとか、ここで「水飲み鳥」や「蜘蛛の糸」という単語を選ぶセンスもあまりに素晴らしいから、「こんなにインタビューしやすい人も珍しいですよ。前回が事故みたいになってたので」と言ったら、同じ連載の前回のゲストが島崎遥香だったことをちゃんと把握しているのも、さすがの一言。

「だから私、ぱるるも大好きなんですよ。変化球がバンバン飛んでくるので」と言うので、そこでもボクと意気投合したんだが、正直言って、松井玲奈的な器用なアイドルよりも、島崎遥香的な危ういインタビューのほうがインパクトもあって、読者から評価されやすいのも事実。

しかし、ぱるるインタビュー時の名言「私、『どうですか?』っていう質問が一番苦手で。『どうですか?』とは?」を紹介したら、「フフフ、カッコいいなあ（笑）。そういう人になりたかった！　私もあと五年ぐらいかけてちゃんとした人になりたいと思います。それでも人生あと三〇年はありますから、五〇歳ぐらいでもういいんですけど」「五〇年生きればもう十分じゃないですか？　違います？　したいことがなくて」と言い出す松井玲奈も、やっぱりかなりの変わり者だし、いい危うさを持っているのであった。また取材したい！

聞き出す力――其の十五

インタビューにおいては常に裏テーマを用意しておいて、そこから深みを狙うべし！

私立恵比寿中学のメンバー・松野莉奈さんが急死した。ボクはちょうど一年前の二〇一六年九月に松野さんも含めたエビ中のメンバー全員をロングインタビューさせていただいている。

当時はメンバーの病気（柏木ひなたの突発性難聴と小林歌穂のバセドウ病）にスキャンダル（星名美怜）と、いろいろ大変な時期だったというのに、よりによって吉田豪相手に全てを話すインタビューを計画するエビ中運営の姿勢にビックリ。

そして、「紙で炎上は起こらない」と大森靖子さんも言っているように、スキャンダルについてネット媒体で下手に反応するのではなく、そこそこの値段で販売されるベスト盤のボックスセットのブックレットでのみコメントすることで、コアなファンと向き合いつつ、炎上は回避するやり方が完璧すぎたと思う。

このときボクがやったインタビューのテーマは「これまで壁にぶつかってきたとき、どうやって乗り越えてきたのか？」だったんだが、裏テーマは「病気で弱っているメンバーを励ますこと」。

これは取材後に「楽しい！」「すごい元気出たー！」（小林歌穂）と言われたりで、かなり上手くいったんじゃないかとは思う。

誰よりもダウナーだった柏木ひなたは、インタビューの最後に「人生ってたいへんだ！たかが一七歳だけどたいへんだよー、何があるかわかんないんだもん」と言っていたが、ホントそれ。人生ってたいへんだし何があるかわからないと、松野莉奈急死報道で嫌というほどに思い知らされたわけなのである……。

メンバーはみんな思った以上に悩んでいたけれど、誰よりも悩みがなさそうで、呑気かつ元気だったのが松野さんだった。みんな深い話をしてくれて面白かった中で、深い話が出てこなくていちばん苦戦したのが松野さんで、だから一人だけインタビューの文字数も少なくなってしまったんだが、スタッフ座談会で盛り上がったのが、人見知りだらけのエビ中の中で「人間関係で悩んだことない」と言い切る、そんな松野さんの呑気さだった。

――基本、壁にぶつかったときに何を考えてたかをテーマに聞いたんですよ。だから、いろんな葛藤みたいな話が出てきたんですけど、松野さんが一番それがなかったですね。

近藤キネオ（演出担当）　そうでしょ！

石崎裕士（かりそめ先生／音楽担当）　幸せなんですよね。

近藤　素晴らしい話ですけどね、人間としては。壁とか悩みとかを感じない。いいことなんですけどね。ポジティブというよりも、それが問題だと思わないっていう（笑）。

彼女、自分の性格を「ポジティブな部分もあるけどネガティブな部分もある。変なところでネガティブ」と判断していたので、どういうところがネガティブなのかと聞いてみたら、「テスト前までは『大丈夫大丈夫、なんとかなるよ！』とか言ってるんだけど、テストになって全然できないと泣き出したりとか、そういうところかな」と答えたりで、ビックリするぐらいにエピソードが薄かったのである。

でも、それはそれでエビ中らしさだなとも思ったし、平和な感じがいいなと思ったのも確か。

藤井ユーイチ（マネージャー）　彼女は昔からそうですね。あんまり深くものごとを考えてない（笑）。なんとなくスカウトされて始めてなんとなくやってるんで。あの子はあのまんまでいいんじゃないかな。いずれ背の高い王子様みたいな人が来て、結婚すればいいと思う。ホント楽しく過ごしてて、いいなって思いますよ。タレントとしてそういうのがなくてどうなの？　って思われるかもしれないですけど、彼女はホントにパッカーンと開いた感じで生きていけばいいなと思います。

こんな感じでスタッフから愛されていることもすごく伝わってきたし、彼女にはそういう普通の幸せを摑んで欲しかったのに、つくづく人生って大変なのである……。

聞き出す力――其の十六

読んで面白いインタビューというのは想定外の〝余計〟な話！その余計な部分に面白さがある!?

職業柄、おそらく人一倍他人のインタビューを読んでいるボクが最近読んで面白かったのは、故・凡天太郎の妻・田中多美子さんのものだった。

刺青師として有名な凡天太郎は、実は劇画家であり紙芝居作家でありテキ屋であり歌手でもあり、没後にも彼の作品は多数復刻されていて、最近リリースされた『残酷怪説　生きている霊魂』（凡天劇画会）に、多美子夫人のインタビューが掲載されていたのである。

この本、作者クレジットを見ると、「凡天太郎とナギサプロ」そして「制作：ナギサプロ（画・竹内寛行）」となっているように、凡天太郎が率いたナギサプロのチーフアシスタントは、なんと水木しげるが第三巻まで描いた『墓場鬼太郎』の後を継いで第四巻から第一九巻までを描いたことで知られる竹内寛行だった！

　凡天太郎は紙芝居時代、水木しげるの兄弟子で、白土三平をアシスタントにしていたり、一時は『少年ジャンプ』でも連載していたぐらいなので、これはきっと劇画史としても重要なことが語られているんだろうなと思ったら、全然違ったのだ。

　凡天太郎は、流しとしてぶらり訪れた『バー渚』で当時一八歳の多美子夫人と出逢い、七度目の結婚をして、『バー渚』の二階でナギサプロを立ち上げたらしくて、聞き手が、「寛行さんが明治四〇年生まれでナギサプロに来た時点で六〇歳を超えてた事を知って驚いたんですよ」と聞くと、多美子夫人はこう答える。

「えー！　若く見えたよー。だってさ一年中、おばさんのオンナ連れてきてね、『これ、今のカノジョ。なー、さっきもキスしてきたんだよなー』なんて言うのよ」

　こんな感じで多美子夫人は余計な話しかしないから、「(竹内寛行は)戦前から紙芝居を手掛ける一目置かれる存在だったはずですよ。そんな人が自分のプロダクションに来て、凡天さんは相当喜んでいたんじゃないですか？」と聞かれてもこんな感じだったのだ。

「パパは寛行さんよりもあっちの人を気に入ってたね。紙芝居のえーと、片腕が無いあの人…、落合（秀彦）…」

「パパがね『バカなんだよー、こいつな！（戦争中に）鉄砲が飛んでくるほうに向かって逃げて撃たれてんの。バカだねー』っていうもんだから、あたし『アンタね、人の事バカとか何だとか言っちゃダメ！』って怒ったの（笑）」

そして最も衝撃的だったのがこれ。

「生麦のナギサプロから水道橋の凡天太郎プロダクションへ変わっていく中で大幅なメンバーチェンジがあったんじゃないですか？」という質問に、多美子夫人はこう答えたのである！

「クビにしたの。一時期、みんなシャブやってたから。それに男どもは自分達でシャブを分けてお金にしてたらしいのよ。パパが怒って『俺を取るのか、シャブを取るのか』って聞いたら、お金にもなるからってシャブの方について行っちゃった。それでパパが全部クビにしてナギサプロを解散したの」

え！

当時の芸能界やジャズの世界で、ヒロポンが法律で禁じられた後も止められずにいた人が多かった話はよく聞くけど、劇画の世界でのシャブ話は初めて聞いた！　手塚治虫とかトキワ荘の人たちが、寝ないで漫画を描くためにシャブを打つエピソードとか『まんが道』に出てこなかったし！

さすがは夫人に「パパはあの頃、けっこうほらヤクザの部類に入っていたから外にも子分がいた」とまで言われる男。

昭和の某アイドルが「いちばん忙しかった頃は寝る時間もなくて、そのせいで当時の記憶がない」と言っているのは、実は違法な薬物をやっていたからだと芸能界の大物に聞いたのを思い出した次第なのである。

なお、竹内寛行がシャブを取らずに残った理由は、「寛行さんはオンナ一本だったから（笑）。年中、そのおばちゃん彼女を連れていて『な、お前。さっきのキスしたのうまかっただろ』って言ったら彼女が『はい』っつーのよ、バカだねー（笑）」……とのこと。シャブより女！

聞き出す力――其の十七

インタビュアーは、時に仕事を忘れて、人間同士の会話をしてもいいのだ！

アイドルの握手会といえばただでさえ過酷なのに、ＡＫＢをはじめとした48グループはとんでもない人数のファンに長時間立ちっぱなしで対応し続けなきゃいけないし、暴漢に襲われる可能性だってあるからホント洒落にならないと思うんだが、握手スキルの高さによって「神7」と呼ばれる位置まで登り詰めたのがＳＫＥ48の須田亜香里だった。

実は彼女がまだ全然知られていなかったデビュー直後、日本テレビの某番組で「名古屋に握手がすごいアイドルがいるらしい」というボクの情報をベースにＦＵＪＩＷＡＲＡの藤本敏史さんが想像で彼女の握手を再現するという企画をやって、実はいまでもお蔵入りになったままだったりもするんだが、そんな彼女を先日インタビューしてきた。

ファン対応がハイレベルな人だから人間関係の構築も相当上手いんだろうなと思ったら、昔は全然違ったみたいで、「ＳＫＥ48に入る前は、人に嫌われたらうれしくなっちゃって（笑）。高校からこじらせて、中二病が遅れてきたんですよ。敵がいればいるほど燃えるタイプだったので、人に嫌われたら『うぉっ、また悪口言われている！』って興奮して「すれ違う人とはもう二度と会わないだろうし、みたいな感じで舌打ちをしちゃったり。まずは舌打ちの練習から始めたんです（笑）。どうやったらいい音が出るか」という、かなりアレなタイプだったことが判明。

そんな姿勢でＳＫＥ48に入ってもメンバーに好かれるわけがないから、彼女なりに悩んで、とりあえず自分が先に相手のことを好きになれば相手も好きになるはずだという考えに至り、ファンに対してもそういう姿勢で向き合ったら握手スキルが高いと言われるようになって、三年前（二〇一四年）の総選挙では一〇位になった、と。

ところが二年前の総選挙で一八位に急落したことでステージ上で感情が崩壊。

「感情ってコントロールできるものだと思っていたし、あんな顔したら二度と人前には立ちたくないって思った」のが感情崩壊きっかけでいろいろ開き直って、その結果として、かなり生きやすくなったとのことなのである。

「いまはめちゃくちゃ素直に生きています。徹底してやってた時期は、よく言えばプロっぽく見えていたかもしれないけど、人の心はまったくなかったですね。いかに人間味を消して自分の本音を見せないかで闘ってたので。本性を見せたら見透かされる気がして。いままでも『好きな曲は何?』って聞かれると、探られている気がして苦手なんです。曲調とか世界観で人の好みというか、その人がどんな経験してきたのか、想像しようと思えばできちゃうじゃないですか。だから怖くて。しばらくは曲の話とかしたくなかったです」

彼女ぐらい完璧にアイドルを演じようとすると好きな曲の話すらできないんだ!

それぐらい本音を見せないアイドル・サイボーグだったはずの彼女が、いまはすっかり人間になったわけなのである。

「(人間になって) めっちゃよかったです。明日が見えるんですよ! (略) こういうこと言っちゃいけないんだけど、(前は) どうやったら早めに (人生を) 切り上げられるのかっていうことを毎日考えて。だから当時、仕事中に死ねたら本望だ的な思いはホントにありました。(略) いま思えば超迷惑だし超怖いんですけど。(略)『将来の夢は?』って言われると殻にこもっちゃう感じで、『今日を悔いなく生きることです』としか言えなくて。自分を隠すために名言みたいな言葉ばかり言っていました」

彼女、キッチリとアイドルを演じきっていたとばかり思っていたら、本当はこんな感情を抱えながらアイドルをやってたんだ……！

アイドルはなぜ病みやすいのか？

多くの人が病むのは職業病なのか？

とか、彼女とは原稿と関係なくいろいろ深い話をさせていただいたんだが、ファンが思っている以上にアイドルは病んでいるし、洒落にならない病み方をしたファンもいるけれど、ファンならせめて好きなアイドルの精神的な負担にならないような行動を心がけたいものなのである。

聞き出す力——其の十八

一見、いかがわしく見えるものにこそ、掘り下げると面白い事実が転がっているのだ！

プロレスの定義は時代と共に変わっていくものであり、いまのプロレスは競技用の綺麗なプールみたいなものだとボクは思っている。

透き通った水の中で、グッドシェイプな選手たちが、感動や勇気を与えるような闘いを繰り広げるジャンルなので、昔と比べていろいろ洗練されたからこそ若い女子がキャーキャー言うようにもなったが、それと比べて昔のプロレスはあまりにもいかがわしくて、「底が丸見えの底なし沼」と呼ばれているように、そもそも泳ぐ場所でもなかった。プールの綺麗な底を見せた上でハイクオリティな試合を見せるのがいまのプロレスなら、底を見せるつもりもないのにほとんど見えちゃって、でも甘く見て沼に足を踏み込むとズブズブと奥深く沈んでいくのが昔のプロレスとでもいうべきか。

そして、底なし沼だからこそ謎がいつまでもなくならず、何十年経っても議論が盛り上がったりもするのは柳澤健氏の名著『１９８４年のＵＷＦ』（文藝春秋、二〇一七年）を例にすればわかると思う。

なにしろ三三年も前の、たった一年半しか活動していない、とっくに消滅した団体の話で、いまも大の大人が本気で揉めたりしているのである。

全日本女子プロレスという、これまたとっくに消滅した団体についての『吉田豪の〝最狂〟全女伝説』（白夜書房、二〇一七年）というインタビュー集をボクは最近出したんだが、全女も明らかに「底が丸見えの底なし沼」だった。

古くはストリップ小屋やキャバレーでリングも使わずに試合をしていたから、いかがわしい見世物だと思われていたし、マッハ文朱やビューティ・ペアやクラッシュ・ギャルズで人気が出てからも女子供が熱中するだけのもので、男のプロレスと比べたらレベルが低いと思われていた。

ところが、初代タイガーマスクの正体である佐山聡という天才が、プロレスをガチの格闘技にするという高い理念を持ち、志半ばで去って行かざるを得なかった旧ＵＷＦに対して、全女は何の理念もないデタラメな団体なのに、若手の試合やベルトが賭かった大事な試合を「押さえ込みルール」というガチでやっていたのである！

当時、ミミ萩原は初代タイガーマスクと対談したとき、「噂に聞いたら、練習もこれくらいやって、会場に着いてからもギリギリまで練習されて、ご飯食べる時間もなくて、それでピストル（真剣勝負）やるんでしょ？　バカなんじゃない？　お宅の社長」と言われたらしい。

もしかしたら、ガチが興行として成立することに佐山聡が気付いたのは、このときだったのかもって気もしてくるぐらいなのだ。

ビューティ・ペアの敗者引退マッチを武道館でやったときも押さえ込みルールだったりで、世代交代のかかった試合を平気でガチでやっていたプロレス団体なんて、世界広しといえども全女ぐらいだよ！

なぜこれが成立したかというと、おそらく理念とかじゃなくて、団体のフロント陣が勝敗で賭けるためだったんじゃないかとボクは推測している。どっちが勝つか、誰が辞めるかでフロント陣が賭けをしていたという証言は複数から聞いたんだが、賭けるためにはガチにするしかなかったんじゃないか、と。

それで思い出すのが貴闘力のエピソードである。

ギャンブル依存症として知られ、野球賭博に関与したとして相撲界を追われた貴闘力だが、実はそこまでの騒ぎになったのには理由があるとボクは聞いている。

貴闘力は、仲の良かった貴乃花と組んで大相撲の完全ガチ化を推し進めようとしていたから、それに相撲協会が反発して貴闘力を相撲界から追放したという説があって、そして貴闘力がなぜ大相撲をガチ化させようとしたかというと「大相撲を公営ギャンブルにしたかったから」だと、ボクはある人から直接聞いたわけなのだ！

全女の発想は貴闘力みたいなものだったんだと思うが、これを推進したのが団体側なのがどうかしている。

そして、このガチ革命が志半ばで終わった貴闘力が、いまはともに同じ甘い物好きとして佐山聡と仲良しになっているというのも、非常によく出来た話なのである。

聞き出す力——其の十九

仲が良い相手を取材する場合、最も大事なのは読み手のことを考えつつ内容のバランスを取ること！

インタビューする上で重要なのは、距離感、つまり取材相手と仲良くなりすぎないことだとボクは常々言っている。

取材前からすでに人間関係が成立している相手を取材すると「豪さんって〇〇なんですよね」的な発言が増えるから、「吉田豪？　知らね」的な読者が多い雑誌だとそれは原稿にしないほうがいいだろうし、でもそういうフレンドリーさが相手の魅力だったりするから、そこを削るのももったいない。

最近やった福山雅治インタビューで気を付けたのは、そこのバランスだった。

これまでにボクは福山雅治インタビューを三度やってきたけど、最初のときはリリー・

フランキーさんと地方のシガーバーで飲みながら対談する企画だったから取材後は一緒にキャバクラにも行ったし、二度目は向こうの指名で取材し、三度目の取材をやる頃には人間関係も成立していたけど、今回は六年ぶり四度目の取材。

当然、最初に会ったときから「豪さん、『紙のプロレス』時代からファンです。リリーさんとは仲良くさせてもらってますけど、豪さんの師匠だと聞いて初めてリリーさんを尊敬しました」なんて言ってきたぐらいのどうかした人なので、今回もそういうやり取りが多々出てきた。

でも、これはボクがめったに仕事しないお洒落なファッション誌に載る記事なのだ。

今回のインタビューは映画『三度目の殺人』のパブリシティなのに、そんなことは一切気にせず無駄話に付き合ってくれる福山雅治。

「福山雅治がミスｉＤのオーディション動画もチェックしてＦＣ会報で語っていた」件は諸事情でカットになったが、この人の異常なチェックぶりを出すためには、こういうやり取りをどう残すかが重要なのである。

なにしろ、放っておいたら、「豪さんと氏神一番さん（カブキロックス）のトークも見ましたよ！」「なんでそんなのまでチェックしてるんですか！」「いや僕、豪さんのことはチェックしてますし」「カブキロックスの氏神一番さんがデビュー前の福山さんに命を救われたことがあるって話ですよね」「そうです。ホントに会ってるんですよ」なんてやり取りが始まる相手なのだ。

このエピソードがファッション誌でニーズがあるのかどうか気にしない人だから、こんな会話にもなるのである。

福山　豪さんは僕が出会った頃の豪さんより有名になられて。

――ダハハハハ！　福山さんに言われる筋合いはないですよ！

福山　遠い存在になっちゃって（笑）。いや、たぶん豪ファンは思ってますよ。「え、豪さん俺たちを置いて行くの？　俺たちだけの豪さんじゃなくなっちゃう！」みたいな気持ちですよ（笑）。そういうファン心理って僕はずっとありますよ。僕のなかで、ここ四～五年で遠くなっちゃってちょっと寂しいなと思うふたりが豪さんとバカリズムさんですからね。すごく売れて忙しそうで。

――福山さんが、自分がその位置にいながらもそういう感情を抱いてるのはおもしろいですけどね。

福山　この感情って消えなくないですか？　豪さんもずっとプロレスもそうだしアイドルも、誰かっていうことじゃなくて、そのありようが好きなのは変わってらっしゃらないんじゃないかなと思っていて。地下アイドルの運営に対していまでも疑問に思ってらっしゃったり。

――なんでそんなことまでチェックしてるんですか！

福山　長崎で『夕やけニャンニャン』はやってなかったんで、僕はおニャン子じゃなくてモモコクラブなんですけど、アイドルの子が女優になるとか、グラビアの子が女優になるっていうのはいまだにちょっとなんかあるんですよ。「女優なんかなんなくていいじゃん！」みたいな。

俳優業をやっている人が映画の宣伝でこんなことをいまでも言っている事実に爆笑していたら、さすがに宣伝会社の人が「そろそろ『三度目の殺人』の話を……」と介入してきたんだが、それで映画についいて語るときも、いちいち「豪さんも喜んでくれたら」と入れてくるから、この人の人たらしスキルは本当に異常なのであった。

毀誉褒貶相半ばする人物をインタビューするときは、相手の人間的に興味のある部分にフォーカスすべし！

ボクは、政治家のインタビューはなるべくやらないようにしている。その理由は、「いろいろ問題がある人の魅力的な部分を引き出すのが得意だから、それを政治家相手にやると厄介なことになる」というのもあるが、単純に「好きな相手や興味がある相手しか取材したくないし、政治家で人として魅力的な人がほとんどいないから」ってことでもある。

ボクが考える人として魅力的な人は隙だらけなので選挙ではなかなか勝てないし、選挙で勝てるレベルでも隙だらけの人はいろいろ問題ありがちなので素直に応援できない。

なので、政治色の強い相手からは距離を置いて生きているんだが、文部科学省前事務次官の前川喜平氏をインタビューして欲しいというオファーは珍しく引き受けてみた。

いまは現役じゃないのも大きいし、彼が通っていたとされる都内某所の出会い系バーに潜入取材したこともあるので意気投合できるかも……と考えた結果、これは本当に引き受けて良かったと思っている。

左寄りの人たちは英雄視して、右寄りの人たちは敵視したりと、評価が真っ二つに分かれる前川さんの人間的な部分を引き出すインタビューをやりたいと考えて、加計学園がどうとか天下りがどうとか、いままでさんざん語ってきたことには触れず、「またあの出会い系バーに行きたい」とか「『シン・ゴジラ』は危険な映画」とか「馳浩はすごい」とか、ひたすら緩い話をすることで新たな前川喜平像が作り出せたんじゃないかと思う。

これはＡｂｅｍａ ＴＶの『インタビュー駅伝』という特番の企画で、番組を見た人の評判もネットの書き起こしを見た人の評判もすごく良かった。

そして、話題になったことでネットニュースにもなって、それを見た人の評判は「前川なんかの言い分を聞くなんて吉田豪に失望した」的な感じだったから、実にネットニュースだなー、と。

さらには、「こんな奴の言い分を聞くのではなく、もっとキッチリ追い込んで欲しかった」的な意見もあって、インタビューを人民裁判みたいなものだと思っている層はいなくならないんだなー、と。

相手を糾弾するようなインタビューが見たい人には、同じ『インタビュー駅伝』内で行われた内柴正人インタビューをチェックして欲しいものなのである。

準強姦容疑で逮捕された柔道金メダリストの内柴を、彼を長年取材してきたという元『スポニチ』記者でプロレス担当としても有名だった丸井乙生がインタビューしていたんだが、これが全く嚙み合っていなかった。

ただでさえ口が重くなっている内柴の前で、ネット上での内柴批判の数々を読み上げようとして、「そんなの読まないでいいです」「いや、でも……」というやり取りを繰り返し、最後は内柴が折れて本人の前でバッシングの書き込みを朗読し続けるという、「北風と太陽」でいうところの北風を当てまくる行為によって完全に心を閉ざさせ、「あれはひどかった」と一部で評判になっていたわけなのだ。

なお、丸井さんはインタビュアーであるとともに、この番組のスタッフでもあって、ボクの前川さんインタビューにも同席していた。名刺を渡された瞬間、ボクはあの丸井さんがスポニチを辞めていたことすら知らなかったので、その場でネットで検索してみた。

するとと関連する検索ワードが「事故」「無免許」だったから何かと思えば、「スポニチの女性記者が無免許運転で七三歳女性をはねた疑いで逮捕」という六年前（二〇一二年）のニュースと年齢が一致して、そのタイミングで丸井さんのラジオ出演とかもなくなっていたから、どうやら同一人物だと思われてるってことらしい。

もしこれが事実なんだとしたら、ボクが「同じ店に行ったことがある人間」として前川さんと距離を詰めたみたいに、丸井さんも「同じ逮捕経験者」として距離を詰めるインタビューをしたほうが、他の誰にも真似できない内容になったはずなんじゃないかとボクは思う。

糾弾はネットの人に任せておけばいいいし、自分も逮捕された経験があるとすれば糾弾する側に立つのも、それはそれでどうかと思うのであった。

インタビューを読んで取材相手と異常に仲良く見える場合、それは喜ぶべきことではなく何かあったと見抜くべし！

たまに「吉田豪はインタビューで自慢話をしている！」とか言われることがある。

いい空気も悪い空気も全部そのまま文章でも再現するのがモットーなので、関係の悪さをそのまま出すのと同じように、取材相手がすごいウェルカムなモードだったら、それもそのまま出すってだけの話なんだが、ウェルカムモードの取材相手といって思い出すのは、ボクの本『サブカル・スーパースター鬱伝』（徳間書店、二〇一二年）が二〇一四年に文庫化されるとき、追加でインタビューしたユースケ・サンタマリアだ。

この記事が「自慢だ！」と言われていたのを発見したから、久し振りに読み直してみた。

まず、インタビューを申し込んだら、「マネージャーも編集者も同席させず、二人だけで話したい」と言われたので、とある韓国料理屋で二人だけで取材したという部分とか、最後に、「すぐそこにシガーバーがあるんだけど、行きませんか?」と誘われたところで記事が終わる辺りが、有名人との交流自慢っぽく感じたんだと思う。

でもこれ、異常事態が起きていることをそのまま伝えたかっただけのことで。一度、番組で共演しただけでそれ以外に接点もなかった人が、人払いをしてボクと二人だけで話し、さらに次の店にも行って、どっちも奢ってくれるというおかしな状況になり、だからこそ踏み込んだ会話ができたという事情説明なわけですよ。

ハイテンションなキャラクターで知られるあの人が、テレビで見ていてもなぜか目だけは全然笑ってない感じとか、一時は精神的にギリギリなことだけは伝わってきていたけれど、実は三二歳ぐらいから八年ほど心身ともに調子が悪く、食欲も減って激痩せして重病説も流れる中、病院で全身くまなく検査しても原因がわからず、明らかにメンタルの問題を抱えていることだけがわかったまま、それでも休まずにギリギリで仕事を続けて、でもそのことに一切触れずにきたという、そんな事実について初めてちゃんと話す取材は、このおかしな状況があったから成立したのである。

それもこれも全て『オトナの！』（ＴＢＳテレビ）という番組で共演したとき、ユースケさんが『サブカル・スーパースター鬱伝』を読んでいると聞いたからオファーすることができたわけなのだ。

「こういう機会もなかったんで。こういうインタビューとかもなかったし。なんかインタビューで話したとしても、事務所が『そこカットで』みたいな話じゃないですか。マネージャーとかも俺のこと知ってるようで知らないから、俺たちの接点が全然わかんなかったみたいで。『吉田豪さんからインタビューの依頼があって、やらないですよね？』ぐらいのテンションなの。『いや、それやりたいわ』『えっ？』『それ《サブカル・スーパースター鬱伝》でしょ？』『そうですそうです』『俺、本も読んでるし《オトナの！》でも一緒になってるしさ』みたいな感じで」

そもそもユースケさんは「サブカル」として扱われる機会がなかったらしいのである。

「俺、（連載してた）《クイック・ジャパン》とか全然接点ないし。見てたらすげえムカつきますから。結構近い人が出てたりとかして、『なんであんたらが？』みたいな。《ＴＶブロス》とか。勝手に俺がムカついてるだけなんだけどね。うらやましいだけなんです」

「『鬱伝』に出てる人の本とか、全部持ってますよ。いまも杉作J太郎さんの『杉作J太郎が考えたこと』、一回読んで、いま二回目を読んでます。ためになることがいっぱい書いてあるんですよ」

そんなことを言ってたら、急に、「……あ！　えりぽん（モーニング娘。の生田衣梨奈）のバースデーイベントに行ったんだよね（二〇一四年のファンクラブ限定イベントにシークレットゲストとして吉田豪が出演）。俺、好きだからすごいうらやましいなと思ってて。あれって一体なんだったんですか？」と食い付いてきたりとか、すごく信用のできる人なのである。

これで人は弱るとアイドルにハマる説にさらなる説得力が出てきたわけなんだが、このやり取りを、「こんな有名人にうらやましがられてる！　自慢だ！」と思われたんだとしたら、それはそれで面白いから問題なしです！

聞き出す力──其の二十二

相手を潰しにいくプロレス的ではない格闘技的スタイルのインタビューは面白いが、誰でもできるわけではない！

長門裕之『洋子へ』（一九八五年）や北公次『光ＧＥＮＪＩへ』（一九八八年）といったエゲツなさすぎるタレント暴露本で知られる出版社・データハウスの、あまり世間では知られていない名著。それが横山やすしの対談集『横山やすし』（一九八六年）である。『週刊宝石』連載の「激情ムキ出し対談」をまとめたものなのに、表紙にもどこにも対談集だという説明すら入れず個人名がそのままタイトルになってる時点でヤバいんだが、中身も強烈。

これは「インタビューは格闘技ではなく、緊張感のあるプロレスである」というボクのモットーとは正反対の、格闘技的に相手をひたすら潰しにいく、とんでもない対談集だったのだ！

たとえば政治学者・小室直樹がゲストの回では、第一声から、「こんどおたくが書いた『ソビエト帝国の崩壊』という本、まだ目次のとこしか見てまへんのやけど、ワシの想像するところ、おたく、おそらく堅い方やと思うんです。ほいで、思想的には自分と同じやと思うんです」と、失礼な一言。

ところが、目次しか読んでないのに、「俺も、ものすごくソ連は好きやないし、ひきょうな国やし（略）俺はいつも思うんやけど、もう一回徴兵制度をとってね（略）それこそ軍隊に引き込んで、シベリアで戦わせればいい」と、持論を述べるやっさんに、小室直樹も、

「そういうこと、そういうこと」。

「それで、女子大生はな、全員慰安婦になったらええねん」というやっさんの意見にも

「そう、そう、そのとおり！　どうせ、あの連中は、やりたくて、やりたくてバタバタしているんだから」と、すごい意気投合ぶりを見せたのに、ここでなぜかいきなりやっさんが仕掛けるのであった。

「そら、そうや。しかし、あのな、センセ。おたくの話はようわかりまっせ。わかるけど

もね、落ち着いた顔してるくせに、なんでそんなふうに頭のてっぺんから声出まんのや、えっ。これ、おかしいやないか！　それやったら、聞くところも聞かれへんで」

なんとゲストの声の高さにダメ出し！

さらに、当時五二歳独身で、「自動販売機の時代だからさ。そういう（女が出てくる）のを発明したらいい」だの、「俺、ソ連へ攻めて行って、これからはシベリアの女とセックスしようと思うんだ」だの、「このごろは、セックス産業は、ひじょうにまじめなバイトになっている」だのと言い続ける小室直樹に、やっさんは娘を持つ父親として、「なにがまじめかいな！」「パンパンやないけ！」と激怒し、こんな言い合いに突入するわけなのである。

横山　あんたは、いったいなんやねん？　大学教授か、軍事評論家かなにやねん、いったい。本職はなにやねん、言うてみい！

小室　本職はルンペン。

横山　なんじゃや、アホ！　ルンペンとは話できんわ、ドアホ！

【大幅に省略】

小室　なんでルンペン、ルンペンて怒るんだよ。ルンペンがいたっていいじゃないか！

横山　いや、おってもええけどもな、同じ右なら右、左なら左の思想家としてものを言ったときに、俺はもちろん右のほうやから、たとえば左のほうを殺しに行くまえに、あんたみたいなしょうもない同じ右のヤツを、スドーンといって、それから敵を殺しに行くわな。

小室　（胸を出して）殺すなら、殺してもらおうじゃないか。

横山　とにかくつまらん。そういう考えは絶対につまらん。これ以上、あんたとは話しとうない。はよう帰れ！

小室　無礼者！　それがゲストに対する言葉か。

横山　ほな、ワシが帰ったるわ。対談は終わりや（と言って席を立つ）。

対談という名のバトルは、ここで終了。やっさんは聞き手として問題あるだろうけど、おかげで小室直樹のアレな部分を引き出すことにも成功したわけで、これはこれである種の才能だと思うのだ。

愛人バンク・筒見待子との対談も「もうええから帰れ！」「いずれ、潰したるから」「ワシは、おまえみたいな女を潰すのが趣味やからな。対談は終わりや。帰れ」という宣戦布告で終わってたりと、ゲストと口論していきなり終わるインタビューも読む分には面白いのであった。相手が怒って立ち去る瞬間の写真が載ってたりするドキュメント感も最高！

第3章

プロインタビュアーを目指せ！

——職業としての「聞き出す力」

インタビュアーは右も左も善も悪も、全てを飲み込み腹を括って笑いに変える度量を持つべし！

先日発売された、ロマン優光の『間違ったサブカルで「マウンティング」してくるすべてのクズどもに』（コア新書、二〇一六年）という新書をきっかけにして、サブカル界でちょっとした騒動が起きているので、ボクも自分なりにサブカルについて書いてみたい。

ここ最近は「サブカル＝アニメや特撮などのオタク文化」という間違ったサブカル観が浸透してきた反面、「サブカル＝お洒落ぶってる癖に底の浅い奴」として差別的な扱いをされる機会も増えてきているので、めんどくさいからサブカルを積極的に名乗る人はほとんどいなくなった。だからこそボクはあえてサブカルを名乗るようにしているんだが、それが東日本大震災以降さらにややこしい時代に突入してきたわけで。

そう。震災時にサブカルがどれだけ無力なのかを思い知らされてデモとかの直接行動に出始めた人たちから、「何もしないサブカルは冷笑しているだけで邪魔！」だのと、やたら叩かれるようになってきたのである。

そのときボクが思い出したのは景山民夫と高田文夫だった。

一〇代の頃、ボクは景山民夫の、基本は軽くて毒舌なエッセイストで、でも根底には原発反対とかの真面目な主張がある感じが大好きだったんだが、小説家として世間に認められた頃からふざけた感じが激減。障害で寝たきりだった娘さんが一八歳で亡くなったことを『宝島』の連載で告白した後、幸福の科学に入信し、そして死んでいった。

ボクは、それを反面教師にして、自分はいつまでも軽い感じでラジオ出演を続ける高田文夫側であるべきだと考えたわけなのだ。

どうしても、こういう仕事をしていると小説を書いたり、大学の講師になったり、「先生」と呼ばれる側にシフトしていきがちだけど、ボクがやるのはそっちじゃない。真面目になりすぎて宗教に入信したり、反講談社デモをやったりするぐらいなら、もっとふざけたスタンスで、冷笑ではなく、腹を括って何でも笑いに変えようとする姿勢でいたい、と。

デモとかの直接行動に出ること自体は、人としてアウトな表現を使ったり、ボクが実害（たとえば急いで取材に向かう途中、デモで道が封鎖されていたりするとさすがに嫌になる）を被ったりしない限り、どんどんやればいいと思う。ただ、「参加しない奴は駄目だ！」的なことを言い出したり、正義のスタンスで他人に干渉してくるのがボクは大嫌いってことなのだ。

結局、いちばん怖いのは「正義」と「悪」の二元論だとボクは思う。

原作版『仮面ライダー』のショッカーによる日本征服計画が日本政府のプランの流用だったり、『ウルトラマン』や『ウルトラセブン』で怪獣や宇宙人が単なる悪ではないと描いてきたり、『機動戦士ガンダム』でもなんでもそうだが、世の中に単純な悪の組織は存在しないと特撮やアニメで子供の頃から学んできたはずの世代が、えらい単純な図式に当てはめて正義のスタンスから何かを攻撃するのは、あまりにも危険すぎると思う。

完全アウトな人種差別発言を繰り返している人も、それが自分にとっての正義だと思っているから、まったく心が痛まないわけで。正義のスタンスに立てばどんな酷いことでも平気でできるようになるから、そこは避けたいものなのだ。

こういう仕事をしていく上で最低限のモラルや正義感は絶対に必要だと思うけれど、あくまでも基本は面白半分。半分は「面白」じゃないと絶対にエンターテインメントにならないし、正義に走りすぎると自分のバランスを崩すことになりかねないと思っているのだ。石原慎太郎とか森喜朗とか上杉隆とか百田尚樹とか辻元清美とか鳩山由紀夫とか唐沢俊一とか坂上忍とか、一部に嫌われがちな人もボクはオファーさえあれば平気でインタビューしてきたし、安倍昭恵さんだって、可能であればいつかはインタビューしたいと公言してきた。

現役の政治家を取材対象にするのはいまはやめておこうと考えてはいるけれど、インタビューをする上では右も左も関係ないし、相手が正しいかどうかも関係ないし、ボクが興味あるのは面白い記事になるのかどうかだけ。

相手の正しくなさをたっぷり引き出して笑いに変えるのがボクの仕事なので、その後のジャッジは読者に任せます！

聞き出す力――其の二十四

取材対象に興味すら持たず、あまつさえそれを見破られるのはプロに非ず!

インタビューの主役はインタビュアーじゃなくてゲストだと、これまでにボクは口に入れたリトマス試験紙が真っ赤になるレベルで口酸っぱく言い続けてきたんだが、最近ちょっとどうかと思うインタビューを発見した。

それは『人間失格会社員　ピーター・メロスの人生エラーランド～恥の多い人生を送ってきました～』というサイトで発表された、イラストレーター兼モデルで二〇一五年度ミスiDの水野しずをインタビューする「ミスＩＤ水野しず。やる気の感じられない態度で取材に来た記者に強烈な説教をキメる」というタイトルの記事である。

まず「ミス・iD」を「ミスＩＤ」と誤記している、インタビュー相手の肩書をちゃんと表記できていないタイトルの時点でおかしいし、そもそも自分アピールの強すぎるサイトの名称&ペンネームにも引っ掛かったんだが、インタビュー記事はそれ以上に酷かった。

プロフィールによると「作家志望で元メンヘラ」らしい彼に、「イガワさん（ピーター・メロスの本名）は小説書かれてるんですね。どういうの書かれてるんですか」と質問したりと、相手にちゃんと興味を持って接する水野しずと違って、このピーター・メロスという人は、明らかに水野しずに対してまったく興味を持っていないのだ。

そのために「……ミスＩＤコンテストに出ようと思われたきっかけは」と質問して、「それあらゆる取材で必ず訊かれる質問なんですけど。なんとなくです」と返されたりの残念な会話を繰り返し、水野しずから「今日は何が訊きたいなと思ったんですか、何を取材したいなと思ったんですか」と詰められ、「（どうしよう本当に具合悪くなってきたし目眩がする。一旦外の空気吸わないと吐きそう）すみません。お手洗いお借りしても良いですか」と言って、取材中なのに堂々とエスケープ。さらにまたしても取材中、外に出てレッドブルを飲み干して心を落ち着けようとしたりで、とにかくいちいちプロ失格の一言。

こうして水野しずがインタビュアーをガチ説教する、有り得ない記事が出来上がったのであった。

水野 あのーイガワさんはライターの仕事ってわりと不本意だと思いながらやってんですか。結構色んな経験が出来て楽しいと思いながらやってますか。

メロス そうですね。楽しくやらせていただいています。

水野 楽しいけどすごい無責任ですよね。これ俺の本職じゃねーしみたいな。そうじゃないですか。あ。たぶん無意識だとは思うんですけど。そういうつもりはないんでしょうね。小説書いてるんですよね。小説書いてる時とインタビューの仕事してる時で絶対、意識違うと思いますよギアが。言われてみればそうでしょ？　本当に仕事でやっててお金貰ってるんだとしたらね。インタビューの仕事でも自分の小説ぐらいギア入れるのが当たり前なんですよ。お金貰ってる人の責任として。遊びじゃないんだから。

この原稿のラストは、メロスが所属する会社の社長による「いやぁ面白い！　やっぱりメロスが吐きそうになるとか説教されるみたいなのはコンテンツとしてすごく面白いよね。今後もこの調子で頑張って!」というコメントで締められていたんだが、こういう駄目な書き手の駄目さ加減を面白コンテンツ化しようとする企画自体、正直どうかと思うし、そんな人にちゃんと向き合って駄目出しする水野しずはすごい誠実。

ボクだったら、それなりに対応した後、このエピソードを後から配信とかで笑い話にして回収するぐらいだと思うので、正面から向き合ってちゃんと説教してもらえたことに感謝するべきだと思うのだ。

なお、水野しずは、この原稿が送られてきたときに「これがアップされたら自分が叩かれるんじゃないか」と怯えていたんだが、あえて原稿を直さないことを決意。その結果、この原稿を見た人がほとんどインタビュアーのピーター・メロスを批判することになり、焦ったピーター・メロスは Twitter のアカウントもサイトも消して逃亡したから、そこもプロ失格の一言なのであった。

メロスが走って逃げた!

誰でも知っている話から入って、そこから新しい話を引き出すのがインタビュアーの腕なのだ!

ボクがやった漫画家・魔夜峰央インタビューの感想で、いちばん嬉しかったのが、「それにしても吉田豪さんは魔夜峰央先生の奥様一筋なこととかよく調べてるなあ。というか調べてる感じが全くなくて『ここまでは皆知ってる』『ここからは皆知らない』と線引きが絶妙なんだな。だからファンが読んでいて歯痒くなることがなくて掘り下げて欲しいところにちゃんと手が届く」というものだった。

実際、下調べはそれほどやっていなかったんだけれど、重要なのは「ファンなら知っているエピソードを削ること」だと思っているので、ほぼ正解。

よく「新鮮な会話を楽しみたいから下調べはしない」的なことを言っているインタビュ

アーがいるけれど、あなたにとっての新鮮さより、読者にとっての新鮮さが重要なのだ。

あなたが新鮮な感覚でやっている会話が、取材相手にしてみればこれまでに何度も繰り返されてうんざりしている会話なのかもしれないわけだし、その結果、すっかり見飽きたエピソードだらけの、あからさまにテンションの低いインタビューを読まされる読者の気持ちにもなって欲しい。

だから、取材するなら最低限の下調べぐらいやっておかないと困るのだ。

この魔夜峰央インタビューで具体的に言うと、ボクは魔夜先生が宝石好きってことは知っているので、「たくさん宝石を描いているわりに、本当に宝石を調べたり買ったりし始めたのは二〇代後半からで。ですから最初の頃、たとえば『ラシャーヌ！』にスタールビーっていうのが出てきたんですけど、どういうものか全然知らなかった。名前だけ知ってて」というエピソードが本人の口から出てきたとき、「当時は（ネットもないし）調べるのもたいへんだから、なんとなく描いてたわけですか？」と聞いて、こういう会話を引き出したわけなのである。

魔夜　いや、べつに調べるつもりもなかった（あっさりと）。いまもそうです、資料とか全然使いません。

――え！　そうなんですか⁉

魔夜　はい、まったく何も使わない（キッパリ）。だからよく『パタリロ！』でヒースロー空港って出てくるんですけど、全然調べたことないから。「どこなんだこれは？」みたいな。

――ダハハハハ！　空想上の空港だった（笑）。

魔夜　よくあるんですよ、たとえば新宿歌舞伎町を描くとき、ふつうの人はみんな景色をちゃんと描くんだけど、私は「新宿歌舞伎町」ってナレーションひとつで済ませて、その1コマでほかのものを描く。ちゃんと風景を描くっていうのは誰にでもできることだし、読者もじゅうぶん承知してることなんだから、そのほかにもうちょっと何か加えたほうがいいんじゃないですかって私は思うんですよ。それで1コマ余計になるわけですから。

――みんなわかってるのに説明みたいなコマはいらない、と。

魔夜　手間暇の無駄（キッパリ）！

ボクのテーマは、魔夜先生のいい意味でいい加減なキャラを引き出すことだったので、「昔のことは忘れるってよく言ってますからね」というボクの発言に、魔夜先生が、「忘れるっていうか、特に作品についてはまったく覚えません」「パーッといい加減に描いてるぐらいで、感覚的には楽に描いてるんだと思いますよ。だから続いてるんだろうと思うし」と被せてくれたから、それだけで満足。

「漫画家がみんな締切を破るんだったら俺はちゃんと守る」というひねくれ者ぶりを掘り下げたら、「（パソコンもやらないけれど）どうせやるんだったらペンタゴンにハッキングかけるぐらいになりたいなって。やるんならとことんやる。ペンタゴンが無理だったらホワイトハウス」という発言が飛び出すのも最高！

結局、ファンなら知っている話から新ネタをどこまで引き出せるかが鍵なのである。

相手に同化する、これがインタビューのコツ。さらに踏み込んでタチの悪さを出せればなお良し！

伊藤彰彦著『映画の奈落 完結編 北陸代理戦争事件』（講談社、二〇一四年）という本をいま読んでいる。

これは「公開直後、映画と同じシチュエーションでモデルとなった組長が殺害された伝説のヤクザ映画」『北陸代理戦争』（東映、一九七七年）を掘り下げたノンフィクションであり、松方弘樹演じる主人公のモデルとなった川内組・川内弘組長を取材した脚本家・高田宏治のことが、こう書かれていたのだ。

さて、四十分余のテープを聴くと、最初は威圧されていた高田がしだいに川内を

「乗せてゆく」様子がありありと判る。読売新聞の名記者、黒田清は『新聞記者の現場』で「インタビューのコツ」として「相手と同じ大きさの声で話すこと」を挙げている。相手が大声の持ち主ならこちらも大声で応じ、逆に声を落として語る相手ならこちらも声を落とす。つまり相手に「同化する」ことがインタビューのコツだと書いているが、高田のインタビューはまさにその点を心得ている。つまり、川内が小声で話した時は小声で訊き、激した時には声を張って、「そりゃあきまへんわ！」と相槌を打つわけである。

これは本当にそうで、ボクもハイテンションな相手を取材するときには「えーっ！　本当ですか！」と派手な受け身を取るけれど、相手がローテンションなときはこちらも淡々とした受け身を取る。

つい最近でいえば私立恵比寿中学のメンバー七人のソロインタビューをやったときがまさにそうだった。

松野莉奈という大事な仲間を失ったばかりで、その時点ではまだ四十九日も済んでないし、心の傷も全然癒えていない状態の彼女たちのインタビューをやるってだけでも相当デリケートな事案なのに、大事な仲間を失ってからどんなことを考えてきたのかを掘り下げるという、デリケートにも程が有りすぎるテーマだったから、これはもうやりにくいなんてもんじゃない。

でも、それが出来るのは自分ぐらいだという自負もあるので、「こんな聞きにくいことばかり聞いちゃって本当にすいません……」と謝りながらも、ほぼカウンセリングみたいな感じで、かなり踏み込んで話を聞かせてもらったのだ。

基本、インタビューは一問一答形式でまとめるボクが、今回に限ってはボクの発言なんかどうでもいいし、そんなことよりも一行でも多くこのことに触れている彼女たちの発言を載せたいし、ファンの人に読んで欲しいと思ったから、一人語り形式にして完全にボクの存在を消し去ってみた。

このインタビューに、原稿チェックでほとんど直しも入れなかった運営もすごいし、こんな時期にちゃんと話してくれたメンバーもすごいし、具体的なエピソードには呑気な話しか出てこなくて、深みがないからほとんどカットすることになった松野莉奈もすごい。

つまりエビ中はやっぱりすごい。

そして、自分の脚本がきっかけで殺人事件が起きたというのに、インタビューで、「松方弘樹が演じた主役のモデルが、公開直後に劇中と同じ喫茶店で射殺されてなあ」「不思議な運命の映画やったね」と、あっさり語る高田宏治もすごい。「いろんな人たちを取材してきたけど、今の脚本家や小説家は机の上で書いてるだけや。僕は逃走中の殺人犯に話を聞いたこともあるからね（笑）」とも豪語していて、当時の東映は本当にどうかしているし、やっぱりすごいのだ。

ただし、どうせ同じような手法でインタビューをするのなら、それがきっかけで人が死ぬよりも、誰かが救われるようなものを作りたいとボクは思う。

最近、羽海野チカ先生を一〇年ぶりぐらいにインタビューして、「豪さんのカウンセリングのおかげで、あそこから、こういうダメなところってべつに隠さなくてもいいのかっていうことを知って、意外に笑いにもなったりするっていうのを覚えたら、生きるのがだいぶ楽になりました。ありがとうございました」と言われて嬉しかったけれど、同時に適度なタチの悪さも守り続けたいものなのである。

聞き出す力——其の二十七

インタビュアーが上手いことを言ってやったとドヤ顔で質問するのは厳禁。感情を聞き出す質問がベスト！

ボクのライフワークというか最大の趣味であり、いつも五分間隔ぐらいでやっているのがエゴサーチなんだが、ある日、「浅田真央引退会見の記者の質問内容が酷すぎた！ 吉田豪を見習え！」的な意見がやたらと引っ掛かったことがあった。

そんなに酷いと聞くと気になるからボクも反面教師にしたくて調べたところ、確かにどうかと思う質問だらけ。

記者に、「もし五歳の自分にタイムスリップしたらなんて声を掛ける？」と聞かれて、「うーん、難しいな」と困る浅田真央！

記者に、「トリプルアクセルに声を掛けるとしたらなんて声を掛ける？」と聞かれて、

「難しい。トリプルアクセルに声を掛けたい？　トリプルアクセルに声を掛けるんですよね？」とさらに困る浅田真央！

記者に、「もし戻れるならいつに戻ってどんな声を掛けたい？」と聞かれて、「二六歳だから二六年ですもんね。難しい。本当に戻ることはないと思うので、あんまりいまパッと答えは出てこないですね」とやっぱり困る浅田真央！

これこそ、まさに「声かけ事案」である。小学生相手の「声かけ事案」より、下手したらこっちのほうが害悪！

こういう記者会見は普段ボクがやっているようなインタビューとは全然違って、長い尺で徐々に盛り上げていって深い話にしていったりするのではなく、三〇秒から一分ぐらいのオンエアの尺で使えそうな、コンパクトでインパクトのある発言を引き出したがるものなので、会話のリズムとかも一切気にせず長考しそうな質問も平気でするってことなんだろうけど、それにしたってW・アクセル・ローズならともかく、トリプルアクセルに声を掛けるような人間は、小学生に声を掛ける以上に不審人物で即通報もの！　なんでこんなに時空を越えて、いろんなものに声を掛けさせたがったりするのかサッパリわからないよ！

インタビューで「もしも」について聞くとしたら、何かを選んだことでいろいろ大変な思いをした人に対して、「もし生まれ変わったとしても、あなたはまたそれを選択しますか？」と聞くのは定番でよくある質問だろうけれど、それはあくまでも「あなたは自分の人生を後悔していませんか？」って意味でしかないから、すごく答えやすいはず。

おそらく、自分が質問される側になったことがないから、ああいう答えにくい質問ばかりしちゃうんだろうなと思う。

ここでボクの手の内をバラすと、ボクは相手がしんどい思いをしたこととか悩んだこととかを掘り下げて、深い話に誘導しつつも最後は前向きな感じで着地させるインタビューを得意としている。

つまり、「トリプルアクセルに声を掛けるとしたらなんて声を掛ける？」みたいな「……いや、さすがに声は掛けないと思います」としか言えないような質問じゃなくて、もっと相手も答えやすいような、シンプルな感情を聞き出すような質問をぶつけていくわけなのだ。

ボクがよく使う手だと、「あのときは相当しんどかったと思うんですよ」とか「いちばんしんどかったのはいつでした?」とか、そんな感じ。

インタビュアーが難しいことを言う必要もないし、上手いことを言う必要もないし、それよりも相手からいい話を引き出すためにはどうすればいいのかを考えればいい。

これは、たぶんプロレスの仕事をしていたから磨かれたんだと思う。

プロレスは競技ではなく基本的にはエンターテインメントなので、何かアクシデントが起きた場合は別として、日常の試合を掘り下げたり、次の試合を煽ったりするようなインタビューをしても、まず面白くはならない。

ノーギャラで取材をするプロレス専門誌なら一緒に物語を作る共犯者にならなきゃいけないだろうけど、こっちはギャラを払っているんだから、宣伝と違って記事自体を面白くしなきゃいけない。それで、嫌いな選手の話やアクシデントが起きた試合を掘り下げたりして、シンプルな感情を聞き出すようになったのが、いまのスタイルを作ったわけである。

聞き出す力——其の二十八

インタビュー前に下調べを念入りにするといいことずくめ！ 過去に学ぶと吉なのだ！

最近は出版不況による予算不足でそこまでやれることも少なくなってきたが、以前はインタビュー仕事を頼まれるといつも「大宅壮一文庫（雑誌専門図書館みたいなもの）で過去の記事を大量に集めてくれるなら」という条件を出すようにしていた。

もはや誰の記憶にも残っていないようなスキャンダルや、なんでこんな組み合わせにしちゃったんだと言いたくなる対談も含めて、過去の記事を読むのはそれだけでも楽しいし、その情報を知った以上は本人にも直接ぶつけたくなるし、インタビューの中身は当然のように濃くなるし、取材相手に「すごいですね、この記事！　ちょっと読んでもいいですか？」とか聞かれたら、「なんだったら全部差し上げますよ」と言えば、実は帰りの荷物を減らすためでしかなかったりする行為なのに、すごく喜んでもらえたりもする。

どう考えてもいいことしかないはずなのに！　だから、もっと過去記事が欲しい！

そんな感じで取材前に資料を集めてもらったとき、かなり衝撃的な記事を発見したことがある。

名前は出さないでおくが、それは某女性タレントが整形していたという記事で、それが実名入りで記事になること自体が異常なんだが、これはかなり珍しいケースだった。

とある地方都市の「医師会だより」に、美容形成外科病院の医師が過去に手掛けた整形の具体例として、彼女の写真を載せた上に、「今から二年前、東京からモデルの女の子が私を訪ねて『有名になりたいので顔を先生の思うように作り変えて欲しい』と思いつめたように相談」されたので、「これ以上変えようがないくらい、目、鼻、アゴ、エラ削りと徹底的に手術」したとコメントしていたことが当時記事になっていたのだ。

こういう情報を知ったところで、果たして本人に直接聞けるものなのか？

彼女をインタビューしながら正直どうしようかと思っていたタイミングで、「よくそんなに資料を集めましたね。嬉しいです。ネットで調べたんですか？」と彼女に聞かれたから、踏み込むならこのタイミングしかないと思い、覚悟を決めてボクはこんな質問をしたのであった。

「ネットと雑誌の記事とかですね。……これは答えてくれなくてもいいんですけど、個人的に衝撃を受けたのは、ある雑誌で整形の話をカミングアウトしていたことなんですよ。普通、週刊誌とかでそういうことを書かれても、黙殺もしくは名誉毀損で訴えたりとかで流すと思うんですけど、ちゃんと雑誌に直撃されて答えていたのはすごいなと思って」

その後のやり取りは、こんな感じだった。

「……いや、私は答えてないんですけどね」

「あ、そうなんですか！」

「でも、訴えても仕方ないことなんで。まあ、若気の至りですよ。だから、そこらへんはあまり触れて欲しくないです。自分からはまだ言ってないことなので」

「はい、使いません！」

これはどういうことかというと、整形の過去が写真週刊誌によって暴かれたから、事務所サイドが繋がりの深い週刊誌を使って、騒動を上手く着地させるような記事を作ったたってことなんだと思う。そこで使われていた彼女のコメントも、おそらく彼女のものじゃなくて事務所サイドが考えたものだったんだろうな、と。

当たり前の話だが、この質問をしてから、明らかに取材現場の空気がピリッとした感じになった。

そして、そんな空気を一切感じ取らなかったカメラマンが取材後の撮影で、「いやー、しかし本当にお綺麗ですよね」「美人だなー」なんて連呼していたから、「いつもはそんな感じで被写体を褒めていれば撮影しやすくなるのかもしれないけど、整形の話の後でルックスを過剰に褒めるのは逆効果だよ！　いまだけはそこはスルーして！」と心の中で叫んだのがいまも忘れられない。

とりあえず、雑誌に出ていたからといってそれが本人の発言とは限らないし、表に出ているからといって何でも触れていいわけじゃないと実感。

というか医者！　そもそもおまえがバラしたのが全部悪いよ！

聞き出す力——其の二十九

どんな相手に対してもプロに徹し冷静さを欠くことなく聞き出す。これがプロインタビュアーなのだ！

ボクの長年の夢が叶って、インタビュー嫌いで知られる明石家さんまさんのロングインタビューが実現した。

昔、『本人』という雑誌でボクがインタビュー連載をやっていたとき、当時の編集長から、「豪さん、さんまさんのロングインタビューをやれることになりました！」と電話があって、「ホントですか！」とテンションが上がった直後、「豪さんって、さんまさんのファンでしたよね。聞き手は僕が務めるので、どういうことを聞けばいいか教えて下さい」と言われて、「え……？」となってから、もうすぐ一〇年。

さんまさんの番組に何度か出ることで関係性を作り、さらにマネージャーさんの信頼も勝ち取って、ようやくここまで辿り着くことができたのだ。地道に頑張っていればなんとかなるものなんだなと正直思った次第である。

これは「あなたがまだ観たことのないものを。」というテーマのNetflixのCM企画で、それには「インタビューを受けない明石家さんまが、真面目なトーンで話すのがピッタリ」だってことで、その聞き手としてボクが選ばれたのだ。

ちょっと前に表参道で明石家さんまが通行人から記念撮影を頼まれまくって、TwitterやFacebookで「さすがの神対応！」と騒がれてネットニュースになったのも、実はこのCMの撮影であり、その横にいてスマホで映像を撮っていたのがボクだった。

あのとき「明石家さんまが表参道にいた！」と大量にネットで書かれていたのに、「その横に吉田豪がいた！」と書いていた人はゼロで、一人だけ「表参道に吉田豪がいた」とだけ書いていた人がいたんだが、「表参道で人だかりがしていると思ったら吉田豪だった」って、その時点でおかしいことに気付くはずなのに！

なお、さんまさんは「俺、いつもあんな感じで対応しているのに、なんであの日だけ話題になるんや！」とボヤいていたけれど、要はモデルとか業界人とかインスタやってる人間が表参道には多かったってことなんだろう。

インタビューは二日で合計二時間。明石家さんま専用エプロンがあることで知られる叙々苑游玄亭、さんまさんが運転する愛車の中、ラジオのブース、スタジオの控室という四カ所で行われた。

この愛車がまた『27時間テレビ』でビートたけしにペンキ塗れにされたことで知られる伝説のベンツのゲレンデヴァーゲンであり、あの車に乗れるというだけでもテンション上がったんだが（当時、ペンキ塗れになってボコボコになったこの車を売ろうとしたら、たいして値段が付かず、しょうがないから修理して迷彩柄にして乗っているそうで、そのせいかギアが何度も勝手にローに入っちゃったりで順調にガタがきていた）、スタッフも必要最小限にしていたから車で二人っきりになる瞬間もあったりで、そういうときにSMAP騒動やハロー！プロジェクトの話とか、聞きたい話を聞きまくった。

ビートたけしさんに「お前、俺の悪口を言ってただろ！」と人違いで恫喝された話をして、「その話、（ガダルカナル）タカから聞いたわ（笑）。しかし、たけしさんもそういう評判を気にするんやなー。俺、全然気にならないわ」と返されたりとか、もう最高すぎるでしょ！

そう。今回の動画を見てもらえばわかると思うが、大人の事情でマストで聞かなくちゃいけないことはいくつかあったものの、基本的には「本当に明石家さんまさんのことを好きな人間が、本当に聞きたいことを聞く」というシンプルな企画であり、それにさんまさんがどう対応するか。それだけがテーマだった。

大竹しのぶと結婚してからつまらなくなったと言われたことについて聞くのは最初から決めていたが、「初めて芸能界に疲れたときだった」から「つまらなくなったと言われても仕方がない」とか素直に話してくれたりで、これ、せっかくだからロングヴァージョンをNetflixで配信すればいいのに！

撮れ高がありすぎて当初の予定よりＣＭの本数は増えたらしいけど、まだ未公開のままになっている部分も本当に面白いから、どうせならいつかちゃんと見ていただきたいものなのである。

聞き出す力——其の三十

宣伝という目的がはっきりしているインタビューの場合、制限も必要であり面白くなりすぎないことも重要なのだ！

ボクの師匠でもあるリリー・フランキーの名著『誰も知らない名言集』（情報センター出版局、一九九八年。二〇〇一年と二〇〇六年に増量されて幻冬舎から文庫化）。そこに「古本バカ」として、まだ二〇代で一部のプロレス好き&古本好きぐらいにしか知られていなかった頃のボクが登場しているのだが、いまでもたまに「あの本で豪さんのことを知りました！」とか報告されたりするし、それぐらい本の元となった『POPEYE』の連載も有名だった。

しかし、実はこの連載の後、同じ『POPEYE』で『誰も知らない対談集』という未単行本化の連載企画が存在したことを知る人は少ないはずだ。

この初回の書き出しが素晴らしかったから、ちょっとここで引用してみよう。

様々な雑誌で読まれている対談記事やインタビュー記事。そこには果たして、どれだけの真実が存在しているのだろうか？　質問の内容は制限と予定調和の中で暗黙の規制が敷かれ、営業トークとチョーチン原稿でまとめられた記事にあるのは、心のない発言とライターのため息だけである。どんなに、その相手がクソ野郎でも、どんなエグいことを口走ってもライターはそれを記事にすることはできない。インタビュー記事の行間には、そんな魂を削られたライターたちの墓石が幾千も並んでいるのである。「ここだけの話なんだけど……」。そんな、タレントのこぼれ話を酒の肴に女をくどく、おさむいライターもいるが、志の高いライターはその発言と心中。死して屍拾う者無し。私も何度となく人を取材し、対談してきたが、それを原稿に起こす時、常々憤りを感じてきたものだ。〝もっとリアルでライブな記事を書きたい!!　シニカルでラテンでフリーダムな記事を!!〟

いまとは全然違う、あの頃のギラギラしたリリーさん文体に懐かしさも感じるが、さすがは師匠、ボクも含めて取材する側がいつも抱えているモヤモヤをハッキリと活字化してる！

そして、リアルでライブでシニカルなインタビューをやった後、その裏話を女子を口説くためではなく、イベントや『ニコ生』で話したり、こういう連載で全部書いたりするボクがいかにフリーダムなのかを、いまさらながら思い知らされたりもした次第だ。

本来ならやっちゃいけないことを、媒体の宣伝にもなるし、取材相手のイメージアップになることを出してるだけですよ！　という強引な言い訳で正面突破するシステム！

それより気になるのは、自分が取材する側だったときはこれだけモヤモヤを抱えていたリリーさんが、俳優として取材される側になり、一日に大量のインタビューを受けるようになったいま、どんなことを考えているのかってことである。

制限とか予定調和にまみれたインタビューを一日に何十本も受けていたら、相当イライラするんじゃないのか？

そんなことを思いながら、福山雅治主演、大根仁監督の映画『ＳＣＯＯＰ！』（二〇一六年）のネットニュースを見ていたときのこと。

リリーさんが演じる情報屋で元ボクサーのチャラ源というキャラは、実はシャブ中設定なので、かなりデリケートなシャブ中ギャグを連発していたのを目撃したのだ。

「ああ、俺がホントに覚せい剤を打って演じてるヤツね。捨て身の役作りですよ。だって撮影が始まったことも終わったことも覚えてないから」

なんて感じの発言自体は最高に面白いけれど、問題はリリーさんのシャブ中演技にとんでもないリアリティがあったから洒落にならなかったことなのである。その結果、「こういうのを冗談だと思わない人がいるから俺、ＣＭが二件なくなったんだよ。シャレのわかんない世の中になりましたねえ」とボヤいていたんだが、リアルでシニカルでフリーダムな発言を映画の宣伝の場で連発すると大変なことになるし、そういうときは適度な制限と予定調和が必要だってことを体を張って教えていただいた次第なのである。

ああいう宣伝目的の仕事のときは変に面白すぎないことが重要なんだろうなー。

聞き出す力——其の三十一

プロインタビュアーには聞き出す力の他にも、まとめる力も必要なのである！

これまでプロレスラーとか空手家とか体育会系の人たちばかり取材してきた『BUBKA』の吉田豪インタビュー連載が、レジェンド漫画家編に突入。

最新号では日野日出志先生をインタビューしたところ、「ここまで話を引き出すとは吉田豪氏の手腕には畏怖の念しか湧かない」とネットで必要以上に褒められたりもしたんだが、実はこれ「聞き出す力」がどうこうというよりも「まとめる力」の問題が大きかったりする。

インタビュー開始早々、「お父さんの背中に刺青が入っていたとか、兄弟がヤクザになったとか、漫画に描かれていたことが実はほぼ現実通りだったという噂も聞いてるんですよね」とボクがデリケートゾーンに踏み込んで、家族や親戚がヤクザというか博徒だった話を日野先生が語り始めて、そこからずっと濃厚な話が続くから「この聞き出しっぷりはすごい！」と思ってもらったんだろうけど、実はこのやり取りの前に現場では約一万字ぐらいの生い立ち話があって、それを全部カットして物騒な話から原稿にしたことで生まれたスピード感と密度だったのである。

居酒屋で取材を受けたいとのことだったからお酒の話とか、一五年ぐらい前に『太陽伝』という作品が復刊されたときにボクが解説を書いたりの接点があることとか、『アウト×デラックス』に出演したときのこととか、そんな雑談に始まって、漫画史的には重要そうな話へと移行。

日野先生はイベントなどで生い立ちについてすっかり話し慣れているようで、こちらが何か聞くまでもなくいろんなことを話してくれた。

内田吐夢監督で中村錦之助主演の『宮本武蔵』を観て、武蔵の生きざまのすさまじさに衝撃を受け、俺はいままで何やってたんだろうと思い、「『青春二一、遅くはない』っていうセリフがあるけれど、俺はまだ一六だ、いまからでも遅くはない、なんかやりたい。世に打って出て名を成すような男になりたい」と決心。まずは映画を作ろうとするけれど簡単には作れず、漫画だったら、紙とペンがあればカメラも何もいらないことに気付いて漫画家を志すことになる。

最初はギャグ漫画を描こうと思ったけれど、こっちの道で赤塚不二夫に勝てるわけがない。

それなら時代劇を描こうと思ったら、これはこれで時代考証が難しすぎる。

そんなとき貸本の原画プレゼントで小島剛夕先生の原画が当たり、それを見て「ああダメだ、無理だ、自分にこんな絵は描けない」と、またもや挫折。

とりあえず、当時はテレビアニメの創世記だったから、友達と二人で『オバケのQ太郎』制作当時の東京ムービーに行くが、「君たち、履歴書も持たないで絵だけ持ってきてもしょうがないんだよ。履歴書って知ってる?」と言われ、友達に「今度は履歴書を持って一緒に行こう」と約束したら、そいつから電話で「俺、受かっちゃったよ。東京ムービー」と報告され、「は? おまえ、俺と一緒に行くって約束したのに俺ほったらかしかよ!」と憤慨。あいつが受かるなら当然俺も受かるだろうと思って行ったら、「絵の癖が強すぎるからアニメーターに向いてない」と言われて、再び挫折。

タツノコプロも受けるが、やっぱり駄目で、その友達が連れてきた東京ムービーの連中と同人誌を作ったが、「みんな俺に言わせりゃ絵なんてもんじゃない。こいつがアニメーターやってんのになんで俺はなれねえんだよ」と、またもや憤慨したらしいんだが、そこでボクが、「アニメは好きだったんですか？」と聞くと、「いや、ぜんぜん（あっさりと）。それが出ちゃったのかな？」と言われて爆笑。

こういうエピソードもちゃんと面白いんだけど、問題はこの掲載誌が『ＢＵＢＫＡ』だってことなのである。

なので、こうした話を全部削って、博徒の家に生まれた苦悩とか、命を懸けて描いた漫画しか評価されない苦悩とか『ＢＵＢＫＡ』受けしそうな方向に針を振ったから、それはそれは面白いに決まっているのだった。

聞き出す力――其の三十二

何時如何なる場合でも聞き出す力は鍛えられる！
日常不意に出会う困難な局面こそ好機なのだ！

あびる優の万引き告白ぐらいから、どうも世の中が違法行為について厳しくなった気がしてならない。まあ、それまでの世の中がどうかしていた可能性も大なんだが、昔はいろんな人が無邪気に未成年飲酒だのヒロポン常用だの泥棒行為だのを告白していたものだ。

最近、竹熊健太郎先生をインタビューしたときも、事前に資料を集めていたら竹熊先生が二〇歳そこそこで群雄社という出版社に入って自販機エロ本を作っていたときドラッグをやっていたと普通に告白していてビックリ。そのことを本人に直撃したら、「ハハハハハハ！　まあ、あれは時効ですよね（笑）。……でもまあ、八〇年代のエロ本屋さんだったらほとんどやってましたよ」「白夜はどっちかっていうとシャブだね。で、群雄社はLSD。

アシッドとハッパね。ハッパはみんなやってたと思うんだけど。群雄社はサイケデリックなんですよ。白夜はちょっと……だって社内セックス禁止令とか出てたもんね、八〇年代は。群雄社は、社内でハッパやるなっていうお触れが出てましたね。まあ、みんなやってたけど（笑）」と、いまもあっさり答えてくれたのである。

実はボクがこの業界に入ってきた九〇年代も一部の出版社にドラッグが蔓延していてビックリしたんだが、それは「聞き出す力」とは何の関係もないエピソードなので割愛。ただ、せっかくだから違法というか完全に社会的にはアウトな行為でも、「聞き出す力」を向上させることは出来るって話でもしてみたい。

ボクの中学校の同級生で、近所のバラック小屋に一人で住んで板前やら肉体労働やらで稼いでいる中卒ヤンキーの友人がいた。

これがいつ頃なのかハッキリさせたら、いまのルールだと面倒になりそうだから曖昧にしておくとして、深夜そいつの家に遊びに行っては酒を飲み、パンクとかのビデオを一緒に観たりしながらサブカル談議＆本やＣＤの貸し借りもしていて、それがこの仕事を始める上ではプラスになったんだが（北公次の『光ＧＥＮＪＩへ』シリーズとかも彼が買ったのを借りて読んだ）、問題は彼の酒癖があまりよろしくないことだった。

基本が絡み酒な彼は、酔っ払うとフジテレビに電話して、「なんであんな男闘呼組みたいな偽物のロックバンドを出すんだ！」と抗議してあっさり電話を切られたりとか、そんなのが日常で。

問題は、進学したボクは高校や専門学校で記憶が上書きされていくけれど、彼は中学生活を引きずって生きているから、酔っ払うと中学の卒業アルバム片手に片っ端からイタズラ電話をかけ始めることなのである。

泥酔しているから電話の会話も支離滅裂で、バレたらヤバいから自己紹介もせず、わかりやすい迷惑行為をやっている彼を、いつも他人事のようにボンヤリ眺めながら酒を飲んでいたら、ある日、ボクが好きだった女の子に電話した上に、彼が途中で受話器をこっちに渡してきた。

つまり、迷惑行為でわかりやすく機嫌が悪くなっている彼女に対して、こちらが何者なのかも名乗らないまま楽しい会話で和ませて、平和に電話を切らなければいけないという、過酷なミッションが始まったのだ！

　これは本当に鍛えられた。どの時点であなたと接点があったのかは言えないけれど、あなたのことを知っている友人が酔っ払って電話をかけちゃって、それは本当に申し訳ないと思っていて、いま突然受話器を渡されたから、せめて不愉快な気持ちだけでも和らげておきたいと思って……的な感じで、ボクもある程度は正直に事情を説明して、「……え、誰？」とかの質問には一切答えず、ひたすら会話を続けた。最終的には、彼女のお兄さんらしき人が、「お前、そんな電話は早く切れよ！」とか言ってるのに、何度も笑わせて、「これ、直に会ったら仲良くなれるかも？」ぐらいの空気感で電話を切る。

　これだけのマイナスから始まる会話に慣れたら、プラスもマイナスもこれといってない状態から始まる普通の会話は余裕でこなせるようになるのであった。

聞き出す力――其の三十三

若かりし痛さが正しい方向に向かえば大成するかもしれない。だれがどうなるかはわからないものなのだ！

いまから一二年前の二〇〇六年、ｍｉｘｉの岡本太郎コミュニティで「自分、岡本太郎、超えます」という空気の読めないトピックを立てて叩かれまくった、とことん青臭くて痛い人物がいた。

「俺は、ただ今、東京にぶっとんだＣＡＦÉ＆ＢＡＲを出そうと全力疾走中のＳＨＩＮです。現在資金集め中です。未経験、コネ無し、文無し…でも、『怖かったら怖い程飛び込んでごらん、ほらっ』。太郎さんのその言葉が俺の今の力になってます。太郎さんがピカソを超えると覚悟を決めたよぉに、俺も宣言します。自分、岡本太郎、超えます。一〇〇〇〇％本気です。絶望的なまでの覚悟ってやつです」

この書き込みに自身のヒッチハイク画像が添付されていたのも痛いし、「超えてやりますよ。俺は俺のやり方で。誰の模範でも何でもなく。俺だけの生き方で。岡本太郎が、天国から降りて来て『それは違う!!』と言ってきても、俺が信じていれる事なら岡本太郎をぶっとばしてでも先へ進みます。太郎がとうせんぼしよぉが、ぶっとばして進む」と、平仮名の「お」が小文字なのも痛いし、「模範」と「模倣」を間違えてるのも痛すぎる。

その結果、岡本太郎と関係ないただの宣伝じゃないかと当然のように批判意見が大量に寄せられることとなるんだが、「宣伝だと言われるならそうです。でも僕は、それがさもいけない事だみたいに単純に言われるのはちょっと違うかなって。お金目的や営利目的で宣伝してる訳でなく、青春を広げていきたい。もっと日本を熱くしていきたいって心底思って書いてる訳であって、俺はそれが悪い事なんて思わないんです」「不器用でもいい、マナーなんてまだよく知らない。でも、俺は俺のやり方で青春を広げていきたいって思います。日本を熱く。世界を熱くしていきたいって」って感じで、何を言っても逆効果。

さらには、「太郎さんなら『はいはいすいませんでしたぁ~』と撤退する訳が無い。猛然とぶつかっていくはずだ」「太郎さんが『空気読めや』みたいな事言うとは思えません」と言い出すわけなんだが、岡本太郎なら金もないのにお洒落なカフェ経営を始めるって宣言をｍｉｘｉに書き込むようなことも絶対にしないよ！

しかも、ほぼ同じ内容のトピックを、若者に無根拠な夢を与える系ビジネスで知られる高橋歩のコミュにも立てていることが判明。彼のＣＡＦÉ＆ＢＡＲ設立計画は、「サンクチュアリ出版の『自由であり続けるために、僕らは夢でメシを喰う』。この本を参考に計画も練り、計画書も作りました」という単なる模倣に過ぎなくて、「俺は歩さんを超えます」とも言っていたわけなのだ。その両者を同じ扱いにしちゃ駄目でしょ！

そんな流れでボクはこう書き込んだ。

「岡本太郎を超えたいと思うのも、そのためになぜか高橋歩の方法論を使うのも自由ですけど、こういうトピックを岡本太郎コミュで立てるのは自由じゃないってことなんですよ。現にこれだけ反発されているわけですから。自分で独自のコミュを立ち上げてくれれば、わざわざそこまで行って批判する人もいなくなるはずなので、是非そうして下さい」

それでも彼は一切気にすることなく、「さぁ、上田慎一郎よ。（俺の本名です）情熱の意味を超えていけ。青春の枠を超えていけ」「一生青春！！！！！！」と叫び、「店を出店

↓軌道に乗る↓会社にする↓映画&音楽事業部を作る↓店を任せ、俺は映画監督に↓俺しか撮れない映画を作る↓世界を震撼させる↓未定」という将来の夢まで語り出した。しかし、彼は店の出店も、それを軌道に乗せて会社にして映画事業部を作ることにも失敗。多額の借金を抱えることになる……。

そう、この青臭くて痛い人物というのが、口コミで異例の大ヒットとなった映画『カメラを止めるな！』の監督・上田慎一郎だったのである。行動力だけはあったけれど方向を完全に間違えていた人が、紆余曲折を経て映画を作るという正しい方向に向かったら成功したってことなんだろうけど、どんなに痛い人でもいつどう化けるかわからないことをボクも学びました！

自由すぎる発言が叩かれがちな世の中だからこそ、ルールを作ってその発言を世に出すべし!

横浜市営地下鉄の車両にスプレーでの落書きが相次いでいる事件について、ラッパーのKダブシャインがTwitterで、「もっとやれー!と言ったら怒られるんだろうな。ただこれぞヒップホップ!!という爽快感は禁じえないw」とつぶやき炎上した騒動があった。

その手の落書き行為=グラフィティがヒップホップなのも、落書きが社会の迷惑なのも、どちらも事実なので、ヒップホップを単なる音楽のジャンルだと思っている人と、ヒップホップの四大要素がラップ、DJ、ブレイクダンス、グラフィティだと理解している人で、受け取り方に差が出たってことなんだと思う。

これはつまり、「ギャングスタラップ(暴力的な日常をテーマにしたラップ)は、これぞヒップホップ!」という意見と「ギャングは社会の敵です!」という意見が嚙み合わないのと同じで、そういう社会の敵みたいな世界で発展したのがヒップホップというジャンルなのは事実だし、それが事実だからといって「ドラッグは、これぞヒップホップ!」と公言したらいまの時代は確実に叩かれるという、それだけの話なのである。

結局、Kダブさんが日常的に失言する「失言最終兵器」だということも、過去にどんなことを言ってきたのかも知らず、最近バラエティ番組に出るようになった姿しか知らずに怒っている人たちが多いってことなんだろうな、と。

ボクは、そんなKダブさんを一〇年前にインタビューしている。当時は「いわゆる芸能人にはなりたくないよ」と言っていた時期なので発言の自由度もとんでもなくて、万引き告白もあっけらかんとしていたからビックリ!

万引きは「病気でしたね、途中からやめられなくなっちゃって」と語るKダブさんに、ボクが「反省はあるんですか? 悪いことしちゃったかなっていう」と追及すると、「いや、あんまりないですね(あっさりと)。まあ、水は高いところから流れてくるようなもんで、持ってる人が持ってない人に回すのは当然だって思ってたんで」とあっさり開き直り、こんな具体例も話してくれたのであった。

「たとえば貧乏なばあちゃんがやってる小さな駄菓子屋とかでガーッと盗むなんてことはしないで、レコードだってシスコ（渋谷にあった老舗レコード店）よりもＷＡＶＥ（西武グループのレコードチェーン）で盗むって決めてたし」

「『どうせ堤兄弟はさんざん悪いことしてるし、いままで俺は西武新宿線だって何度も乗ってるんだから、レコードを何枚か俺が持ってったって痛くもかゆくもねえだろ、このプリンスホテル！』って、ちゃんと、そういう意識でやってましたね」

「シスコは『たぶんここは個人経営の店だから万引きしちゃいけないな』って、まずはＷＡＶＥ行って、タワレコ行って、どうしてもない分をシスコで買って。その三店回れば確実に買いそびれはないっていう……買いそびれじゃないけど」

どうですか、この清々しいまでの発言は！

なお、Ｋダブさんは小六のとき『釣りキチ三平』、中三のときに『ゴルゴ13』を万引きして補導されたこともあるベテラン（？）で、「某店が近所にあって、そこにみんなで行ってジャケットの内側にパンパンになるぐらい持ってきたら、潰れました」という洒落になららない実績もあるので、それを思うと、いまはKダブさんなりに気遣いをするようになったのがわかるはず。

昔のKダブさんだったら地下鉄の落書きにも「これぞヒップホップ。もっとやれー！」と言い切っていたはずだし、「と言ったら怒られるんだろうな」「爽快感は禁じえないｗ」という予防線を張っているだけでも、ワタナベエンターテインメント所属タレントとして頑張っているわけなのだ！

ここ一〇年ぐらいで世の中の空気が変わってきて、こういう発言がどんどん許されなくなってきているけれど、すでに時効になっているようなことであれば「万引きは犯罪です」的な注意書きを載せることで原稿にしていいルールとか作って欲しいものなのである。

事実を知るには取材対象に忖度してはならない！あくまでフラットな姿勢で自らを基準にせよ！

ちょっと前、文部科学省事務次官だった前川喜平氏による歌舞伎町の出会い系バー通いが読売新聞で報じられた。

これが、加計学園関係のリークをした前川氏に対する、安倍総理と繋がりの深い読売新聞からの報復だと噂されたり、「女の子と外で会ったり、お小遣いを渡したりしていた男の発言が信じられますか?」などと批判された彼が「貧困女性の調査をしてただけ」と反論したり、「そんなわけないだろ!」と突っ込まれていたら、出会い系バーで前川氏と面識があるという女の子による「実際に何もなかったし、あの人は本当にいい人」という証言が飛び出したりで、いろんな意味で盛り上がっているわけなんだが、ちょっと待て。

そもそも出会い系バーってなんだ？

ちょっと調べてみようと、この店の潜入ルポ記事を読んだら、今回の騒動の効果で「ウハウハ大盛況、〝売春祭り〟状態に！」なっているとか、教育をちゃんと受けられなかった子が貧困に苦しんでいるのを目の当たりに出来るらしいとか、そんなことが書いてあったから気になってしょうがないよ！

なので、さっそくこの盛り上がりに便乗すべく、ボクも『ニコ生』でやっている番組の企画にしようと考えて、元『実話ナックルズ』編集長の久田将義氏と、番組の女性スタッフ（バツイチ子持ちの三〇歳）と三人で、その店に乗り込んでみた。

何人か話してみた感想としては、「……あれ？　ちょっと話が違う」といったところ。

男は一時間でドリンク一杯ついて三五〇〇円、二時間でドリンク二杯ついて四八〇〇円、終日出入り自由でドリンク三杯ついて六〇〇〇円と意外に安くて（二時間コースで、別料金の追加ドリンクとかフードも頼んで、ちょっと延長もしたけれど、それでも安かった）、女子はドリンク四杯ついて無料。それでいてコンセントも使えて充電自由だから、ちょっとした暇つぶしに来ている女の子も多いし、報道があったから好奇心で来ている高学歴で育ちのいい女の子もいたしで（だからその子は店内の低学歴っぽい女子を見下していた）、合計四人と話したけれど前川氏と過去に話した人がいなかったどころか、そもそもニュースを見ないからこの店が話題になっていることを知らない子も多い。

最初はボクも「下手したら顔バレとかしちゃうかもなー」とか思っていたけれど、ボクの書いた記事や雑誌を読んだり、ボクが出演するような番組を見たり、そういう文化圏で生きているような女の子もいない。

それでボクは気付いたのだ。キャバクラによく行っていたのは二〇年ぐらい前だけど、その頃から女の子と話を合わせるのは大変だから修行みたいなものだと受け止めていたのに、さらに女の子との年齢差も拡がったいま、文化圏が決定的に違う女の子と話すのはかなりしんどいという事実に。

だって、「好きな音楽はクラシックです。あ、でもJポップとかも聴きますよ。いきものがかりとか……」って女の子に歩み寄るのはかなり困難でしょ！

それでもなんとか会話を成立させて笑いを取ることは出来るけれど、無理してるから一〇分ぐらいで限界になるわけで。これ以上話すのはしんどいと思った瞬間、女の子もそれを察して立ち去ってくれて、そこは助かったけど、これはプライベートでは絶対に通わないだろうなぁ……。

そして、女の子の側から「外に飲みに行こうよ！」と言ってくる子も確かにいるけれど、下ネタすら振りにくいタイプも多いので、そこも報道のイメージとはかなり違ったから、文科省事務次官という立場にある人が、何らかの調査目的で通うならメリットもあるかもしれないけれど、セックス目的なんだとしたら、もっとちゃんとした高級デートクラブ的な店に行ったほうがいいだろうし、これは前川氏の発言に信憑性が出てきたなとボクは思った。

そんなわけで、女の子にもそう伝えたら、「えーっ！　そんなわけないじゃん！　あの人と話したことあるって女の子からも聞いたんだけど……」って感じで、その子は前川氏についてちっとも肯定的に話してくれなかったのであった。

そこもまたマスコミ報道と違う！

聞き出す力——其の三十六

素晴らしいノンフィクションは小説に比肩しうる。この二つには上も下もないのだ!

昔からあまり評判のよろしくない某AVライターの人が最近、某AV女優の人に取材時の非礼な行いを告発されるなり、Twitterを鍵アカにしていたんだが、「それに比べてあの人は本当に素晴らしかった」とネット上で引き合いに出されていたのが永沢光雄だった。

AV女優に私生活について聞くのがほぼタブーだった時代、インタビュー本の傑作『AV女優』(文藝春秋、一九九六年)でエロ話ではなく彼女たちのプライベートな部分ばかりをひたすら掘り下げて、叙情的な深みのある文章にするという見事な仕事っぷりはボクも大好きだったんだが、なぜそういうインタビューになったのか、『ノンフィクションを書く!』(共著、ビレッジセンター出版局、一九九九年)という本で彼はこう言っていた。

若い女の子と話せる機会なんてないですからね。まあ、何もないので生い立ちから聞きました。これはいつも聞きたいことなんです。小さい頃の話。そんな話をずっと聞いてますから、五時間も六時間もかかる。そのうち、相手が焦ってきますね。「あの、性感帯とか言わないでもいいんですか」と言ってくる。こんな話ばかりでいいのかなと思うらしいんです。でも、性感帯の話は聞かないのではなくて、聞けなかった。だって、ただでさえ初対面の人とはビールを飲みながらじゃないとインタビューできないのに、いきなり「性感帯、どこかな」とは言えませんよ。

彼の本はいわゆる一問一答のインタビュー形式ではないノンフィクションと呼ばれるジャンルなんだが、これぐらいシャイで、酒好きのどうしようもない人だからこそできるインタビューで、そこが素晴らしかったし、取材相手が心を開いてくれる理由もそこなんだと思う。

ただ、正直もったいないのは、どうやら本人にノンフィクションと括られるジャンルへのこだわりがまったくなかったということなのである。

僕はこれまでもノンフィクションを書いたつもりはないんですよ。ノンフィクション、ノンフィクションってみんな言うけど、そんな言葉にこだわっているのは日本だけじゃないかな。ノンフィクションって何なんだろうと思いますよ。以前、ある編集者の方に呼ばれて、酒の席に出向いたんです。日本のそうそうたるノンフィクション・ライターの方々が集まる席でした。でも、そこは日本酒の店だった。〝こりゃ酒がまわると危ないな〟と思っていたけど、やっぱり、二、三時間たって僕言っちゃった。「あなた方、ノンフィクション、ノンフィクションって言うけどさあ、本当は小説が書きたいんじゃないのおお」って（笑）。「ノンフィクションがどうのこうのと言っているうちは、日本からはろくな文章が生まれませんよ〜。この際さ〜、法律で三年間はノンフィクションという名のつくものは出してはダメって決めたらどうッスかねえ」って。言ってはいけないことがつい口から出てしまった。すると、編集者が「永沢君、僕が家まで送っていこう」と（笑）。

そう。彼はもともと小説が書きたかった人だからこそ、ああいう文学的なノンフィクションが書けたんだとは思う。でも、「今、小説を書かなければいけないの。一年前から編集者に『小説を書きたいよ〜ん、小説を書きたいよ〜ん』と言っていたんです」というぐらい小説をノンフィクションの上位概念に置いていたっぽいのが本当に残念なのである。

その後、小説を書き始めた彼は二〇〇二年に酒の飲み過ぎで下咽頭癌となり声帯を除去。

あれほどのインタビュアーが物理的にインタビューできる身体ではなくなり、さらに鬱病にもなり、二〇〇六年に四七歳といういまのボクと同じ年齢で亡くなった。

ボクと同じ新宿二丁目在住だったためかウチのすぐ近くのお寺で行われた告別式には面識もないので参列はできなかったが、才能があっていい文章を書く人が若くして亡くなるのは本当に惜しいし、できれば最後までノンフィクションに向き合って欲しかった。

そしてボクは小説家に転身することなく、いつまでもインタビューを続けていくつもりなのである。

聞き出す力――其の三十七

一筋縄ではいかない相手にインタビューするときの緊張感は聞き出す力を育てる糧になる。修羅場をくぐるべし！

グーグルで吉田豪と検索をすると第二検索ワードで名前が出てくることで知られるビートたけしの新刊『バカ論』（新潮新書、二〇一七年）は、冒頭からインタビュー論について語られている本だった。

そいつがバカかどうかを知るには、質問させてみればいい。それで相手がどの程度の奴かがすぐわかる。おいらの経験上、必ずバカは間抜けなことを聞いてくる。まず、相手のことを大して知らない。最近は、インタビューの途中で、「えっ、たけしさんって漫才をやっていたんですか？」なんて平気で言ってくる奴もいる。さらにインタビューを終えると、勝手に仲良くなったと思い込んで、言葉遣いがぞんざいになったり、態度が悪くなったりする奴もいる。バカは相手との距離感がわからない。当然、質問は頓珍漢なものばかりで、いちいち答えるのが嫌になる。

下調べの重要さと相手との距離感の保ち方をモットーとする人間としては、非常に納得できることばかりである。

ただ、この本を聞き書きでまとめたライターの緊張感を思うと背筋が凍りつく。バカについて聞いてるのに、いきなりバカなインタビュアーについてばかり語られたら怖いなんてもんじゃないよ！

さすがにおいらも七十歳になって、そんなバカな質問を直接ぶつけられることは少なくなった。たまに間抜けなことを聞かれて、「さっきから何言ってんだ、お前」と言うことはあるけれど、むしろ相手が怖がってビクビクしていることも多い。それでも昔は、しょっちゅうくだらない質問をされて怒ってた。

実際、二度ほどボクがビートたけしインタビューをやった経験から言うと、確かに下手なことを聞いたらヤバそうな緊張感がすごかった。そしていまのビートたけしに「さっきから何言ってんだ、お前」と言われたら、「人違い恫喝騒動」と同じレベルで怖すぎるはずなのである。

監督をするようになってからは、圧倒的に映画関連のインタビューが多くなった。

テレビと違って、じゃんじゃんプロモーションしないと誰も映画を観てくれないし、お笑いについていて質問されても困るけど、映画については語りたいことはたくさんある。それなのにろくな質問が来ないから参っちゃう。

いや、それもやっぱり聞き手が「怖がってビクビク」していたからじゃないかと思うんだが、それでも取材日に大量のインタビューを受ける人間として、「こういう質問はイヤだ！」とボヤき続けるのであった。

「これまでお撮りになった映画の中で、一番好きなものは何ですか?」。映画に一番も二番もない。ランクなんて決めてたまるか。全ての作品が、撮りたくて撮った映画に決まってんだろう。(略)中でも最悪なのが、——「今度の映画をひとことで言うと、どんな映画ですか?」。どんな映画か、ひとことで言えるようだったら、そもそも映画なんて撮るわけないだろう。(略)これまで二十本近くの映画を撮ってきて、そのたびにたくさんのインタビューを受けてきたけど、一向にこの手の質問が尽きることはない。一本映画を撮ると、日本だけでも何十本とインタビューを受けるけど、そのたびに愕然とする。

短い時間なり短い文字数で映画の話をしようとすると、どうしてもこういう質問になりがちになるものだとは思うので、これを聞かなきゃと考える側の気持ちも、こんな質問ばかりされてウンザリする側の気持ちもよくわかる。

そして、ビートたけしは「こんなインタビュアーはイヤだ!」とばかりに、「インタビュー相手の名前や作品名を最後まで間違える」「やたら質問が長い」「取材の途中で自分の話を始める」『たけしさんは、これこれこう考えたんじゃないですか』と答えを勝手に言う」「録音もメモも取らない」などと具体例を挙げていき、それも非常に納得できたが、途中から「寝始める」「ずっとカツラを気にしている」などと、完全に『天才・たけしの元気が出るテレビ!!』の『たけしメモ』状態になっていくのであった。

聞き出す力――其の三十八

様々な事情でお蔵入りになるインタビューは数あれど、いつか思いもよらないときに日の目を見ることもある！

五ヶ月ほど前、とあるネット媒体で、アイドルグループ、ＬＡＤＹＢＡＢＹの金子理江＆黒宮れいを個別にインタビューして、どちらもすごく面白かったんだが、黒宮れいのＬＡＤＹＢＡＢＹ脱退によって、どうやらこのままお蔵入りになりそうな予感。

当時から一部で流れていた不仲説を否定していたものの結局はバラバラになっちゃったから、いまとなっては出しにくくなったとは思うんだけど、もったいなさすぎる！

二人ともミス・ｉＤ出身で審査員のボクと付き合いも長く、インタビューで何でも話してくれたんだが、とにかくお互いのことをどれだけ好きなのかの話が異常に面白かった。

「れいと理江は仲良すぎて気持ち悪いとかビジネスとか言われるけど、あれがビジネスだったら何を信じればいいの？　人間不信になりそう。自分でも理江とれいで奇跡的なバランスだと思う。こんなに長い友達いない。血がつながってない人で一番長い」（黒宮）

これぐらいならまだわかるけど、話はだんだんエスカレートしていく。アイドルグループのソフトレズ感を愛するファンは多いけれど、ここまで語っていたのはこの二人だけ！

「最近、前世の話になって。『前世で私たちは絶対に結婚してたはず。だから理江とセックスできんじゃね？』って。それで、付き合いたくてケンカになったんですよ。『私だって付き合いたいよ！』『なんで付き合えないの？』『わかんないよ！』って」（黒宮）

最高すぎる！　ＬＡＤＹＢＡＢＹは女性ファンが多いんだし、おそらくファンも反対しないはずだから、もう付き合っちゃえばいいのに！

ボクがそう言うと、話はさらに具体的かつそれ以上にエスカレートしていくのだった。

「結婚はいま外国でできるところあるじゃないですか。だから大丈夫だよって言ってるのに、理江が『でも、私は子供が欲しいから』みたいなこと言い出して。養子でいいじゃんって感じなのに、ダメなんですよね。友達って急にフワーッといなくなったりするじゃないですか。そうじゃなくてずっと一緒にいたいから結婚しかないと思って」（黒宮）

本当に最高すぎる！　それでいて純粋！

そして金子理江もこう言っていたのだ。

「ステージ上でれいと結婚しようかなと思ってて。どこの国だったら結婚できるんでしたっけ？　そこまでいけるようになって、ステージ上でプロポーズしようかなと思って」（金子）

「男にしか埋められないものがあるから、自分が男だったらよかったのにって後悔しました。アダムとイブになって、一緒にエデンの庭で生命の樹を守りたかった」（金子）

これぐらいお互いのことを本気で愛しているアイドルグループもまず存在しないはずなのに、なぜかこの頃から不仲説が流れていたわけなのだ。

黒宮れいと元メンバーのレディビアードとの不仲説ならまだわかるけれど、そもそもＬＡＤＹＢＡＢＹは金子＆黒宮の人間関係から始まったグループなのである。

だからこそ、インタビューでもお互いがお互いへの熱い思いを語り続けていた。

「理江はホントにみんなが大切にしてあげなきゃダメなんですよ。れいも大切にされたいけど、されないいんですよ。だから、れいはずっとひとりで生きていこうと思ってます。で

も、理江がいるから大丈夫」（黒宮）
「私は金子理江より黒宮れいっていう存在を何よりも知ってほしいです。自分が売れるよりも黒宮れいをみんなに知ってほしい」（金子）
「たとえれいに裏切られたとしても、どんなことをされたとしても、それも愛おしく感じるし、それでも私はあなたと一緒にいますってぐらいの覚悟で一緒にいるから」（金子）
お互いを好きすぎるせいで何らかのトラブルが起きたのかもしれないが、いつかまた復縁して、このインタビューが載せられるぐらいの状態になって欲しいものなのである。とにかく、それぐらい最高の二人なので。

インタビューで踏み込んだ話を聞くならば、相手にそれなりのギャラでリスク料を払うべし！

リスク料という聞きなれないフレーズをボクが初めて耳にしたのは、いま調べたら一九九二年一一月のことだった。

当時、G1クライマックスを二連覇したばかりの、ヒール化する前の夏男・蝶野正洋が、『週刊ゴング』誌上で「髙田延彦と闘ってみたい」とリップサービスで口にするなり、髙田をエースとするUWFインターナショナルは最高顧問の鉄人ルー・テーズを新日本プロレスの事務所にアポなしで送り込んだ。

当時七六歳の外国人に蝶野宛の挑戦状を持って行かせるという、伝書鳩というか『はじめてのおつかい』みたいな仕事をさせたのはなぜかといえば、レジェンドレスラーの訪問を新日本側が断れるわけがないのをわかった上での実に悪質なやり口である。

そして行われた両団体のトップ会談の席で、新日本側は「三対三で巌流島で闘うこと」「その三人に蝶野は入らないが高田は必ず出場すること」「Uインターはリスク料三〇〇〇万円を支払うこと」という条件を出してきたのだ。

蝶野の側から闘いたいと言ってきたのに、舞台が巌流島ということは興行にする気もないし、お前らと闘うのはリスクが高すぎるからとりあえず三〇〇〇万円払え、と。

ちなみに、その二年ほど前、新日本プロレスでプロレスデビューしたもののろくに練習もせず、態度もデカく、試合をスッポかそうとしたのを現場監督の長州力が注意したら、「うるせー、この朝〇野郎!」と完全アウトなことを言い出したせいで解雇され、その一年ほど後には「この八百長野郎!」発言でSWSも解雇された元横綱・北尾光司をリングに引っ張り上げて、「打撃も関節技も決まっちゃったら結末を変える=基本的にはプロレスだけどいつシュートになるかわからない」というUインターのシステムを利用して高田がハイキックを食らわせて完全KO=制裁したのは、このトップ会談直前の一九九二年一〇月の話。

つまり、この時期のUインターは何をするかわからない狂気の集団であり、新日本に対してもUインターの頭脳・宮戸優光は「三〇〇〇万円用意して、やっちゃおうよ！」と息巻くぐらいイケイケだったらしいので、だからこそ新日本にしてみればリスクを背負うにはそれなりの金額が必要だったわけなのだ。

というわけで、ここから本題。

ボクはインタビューをする側だけでなく、インタビューを受ける側でもあるんだが、最近は後者のギャラがあからさまに安くなってきている気がしてならない。

一万円とか五〇〇〇円とかの金額を提示されることが増えてきて、「あのー、こっちはそれなりのリスクを背負った踏み込んだ発言をしているつもりなんですけど、そのリスク料としてはあまりにも安くないですかね……？」と思うこと多数。

誰も三〇〇〇万円用意しろとか無理難題を言って企画自体をなしにしようとかしているわけじゃなくて、一万円とか五〇〇〇円で確実に炎上しそうなデリケートな話題を語らせるのは、あまりにもハイリスクローリターンすぎなのだ。

これ、ボクが聞き手になったときもたまに気になることがあって、元ラフィンノーズの

ＮＡＯＫＩをインタビューしたら、かなり踏み込んだ話をしてくれたのに、編集者がギャラを手渡しするとき、お札を封筒に入れるでもなく、クシャクシャの万札を二枚渡しているのを目撃。

「この人、いろんな人から怒られるレベルの話をしてくれてるんだから、せめてギャラは封筒に入れた上で、万札はもう一枚ぐらい増やしてあげようよ！」と、さすがに思った。

人間関係を壊しかねないリスク料として考えたらそれは安すぎる！

インタビュアーとして「これを質問したら確実に面白くはなるけど、名前を出されたらあの人は怒るだろうなー」的なことを聞いた結果、実際にその人からTwitterでブロックされたことは何度もあったし、聞く側としてはそれぐらいの覚悟はあるけれど、聞かれる側になるとリスク料のことを考えて欲しくなるのであった。

これは面白くなる、と思ったら人間関係を壊すくらいの覚悟で腹を括って何でも聞いてみるべし！

先日、いきなり某巨乳系アイドルから、「豪さん、突然なんですがインタビューするときにやらないように気をつけてることってありますか？　急に明日インタビュアーデビューすることになって、今からもがいてもしゃーないので、とりあえずやっちゃダメなことだけお聞きしたいな、と」というＤＭ（ダイレクトメール）が送られてきた。

おそらく彼女としては、絶対に聞いちゃいけない質問だとか、やったら失礼な行為とかを聞きたかったんだと思うが、ボクの返事はこの連載でも書いてきたように、「『面白い記事にする』という目的を忘れないことだけですよ。『仲良くなりたいからこれは聞けない』とかよりも、『嫌がるかもしれないけど聞きたいことはちゃんと聞いて、結果的に面白い記事になって話題になれば喜んでくれるはず』という考えでやれば、大体なんとかなります」の一言。そもそも何のための仕事なのかを考えれば答えは出るはずなのである。

自分のためでもなく相手のためでもなく何かの宣伝のためでもなく、まず第一に読者のための記事にしなければいけなくて、読者が喜ぶ記事になれば結果的に自分にとっても相手にとっても絶対プラスになるし、記事が面白くなれば読む人が増えて宣伝にもなる。

自分よがりになりすぎても、相手に気を使いすぎても、宣伝色が強くなりすぎても、結局はマイナスになるだけだから、腹を括って踏み込んでいくしかないのだ。やるっきゃない！

……とかアドバイスしたら、この仕事、ボクが「そんなに詳しくないので」と断ったインタビューだったことが発覚。

詳しくない人間に、読者が何を求めているのかわかるわけないので、これは断って正解だったと思う。

ボクはこの仕事を始める前から、友達何人かと話しているときに「あ、これを言ったら笑いが取れるけど、確実にこいつはカチンとくるだろうし、下手したら人間関係が壊れるかもしれない」というフレーズが思い浮かぶと、いつも「まあ、人間関係が壊れたとしても、この場で笑いが取れれば良し！」という完全に間違った判断でアクセルを踏み込むことが多々あった。

たった一瞬の笑いのために人間関係を壊す覚悟で余計なことを言うなんて自分でもどうかと思うが、その瞬間は守りに入るよりも、攻めることで笑いを勝ち取ることが重要だったのだ。

当時の判断は間違っていただろうけど、いま読者のためにアクセルを踏み込むのは、人としてはともかく物書きとしては断じて正しいとボクは思っている。

それで思い出すのが、ボクがまだ二〇代のときに開催された高田延彦のトークイベント。メインの司会は『紙のプロレス』編集長の山口日昇でボクはその補佐担当だったんだが、面識もない若造に背を向けて山口日昇だけに話し続ける高田延彦。

前田日明みたいにどんどん暴走してくれるタイプでもないから、相手が怒らなそうな無難なことしか聞けずにいる山口日昇。普通のトークイベントよりも入場料が高額だったため「豪さん、なんとかしてくれ！」という空気を出し始める観客。

しょうがないからボクが二度ほど踏み込んだ結果、髙田延彦に「……なんなのこれ？」的なものすごく冷たい反応をされたのはいまも忘れられないが、それより観客からの「ありがとう、豪さん！」的なリアクションのほうが忘れられない。

ボクがこのとき踏み込んだこととは一切関係なく、後に髙田延彦とはボクの書評をきっかけにアンタッチャブルな関係となるんだが、そのトラブルのときボクではなく髙田延彦を選んだ山口日昇にしても、いまは盟友のはずだった髙田と絶縁状態になっているぐらいなんだから、やっぱりやるときはやらなきゃいけないと思うし、守りに入って相手に好かれようとしても、その人間関係が続くかどうかすらわからないんだから、そんなの何の意味もないのであった。

『紙プロ』の誌面も、読者ではなく相手のことや興行や宣伝のことを第一に考えるようになってから、おかしくなった気がするからなー。

信頼関係のないプロレスは成立しない。ガチだったら余計に！ だから安易なプロレスたとえはやめるべきなのだ！

この連載で、「ボクにとって理想的なインタビューは、ＵＷＦインターナショナル的な緊張感のあるプロレス」という世間にはまず伝わらない表現を使った人間が言えることじゃないんだが、安易なプロレスたとえには警鐘を鳴らしていきたい。

それを最近、通称『夏の魔物』という青森でやっていた音楽フェスの主催者であり、ＤＰＧ改め『ＴＨＥ　夏の魔物』というバンドのフロントマンでもある成田大致のトークイベントに呼ばれて痛感したのである。

彼は当時組んでいたロックバンドのメンバーにグレート・ムタのＤＶＤを貸したところ、感想が「ムタ強えなあ」だったことに「ありえない！」と激怒。

プロレスがわからないメンバーを全員切り捨て、「音楽でプロレスをやりたい」と言い出すなり現役プロレスラーもメンバーに加えてＤＰＧをスタートさせた。

これも元ネタがＴＰＧ（ビートたけし率いるたけしプロレス軍団）だったりと、彼はプロレスファン以外に伝わらないネタを何の説明もなく多用しがちな、いつ何時《なんどき》でも説明不足な男なのである。

彼がそうなったのは、ボクが参加していた『紙のプロレス』の影響らしいから罪の意識もそれなりに感じているんだが、本人としてはプロレスのつもりだったりする彼のデリカシーのない言動＆行動も影響してなのか、デビューシングルをリリースした時点でメンバーが五人脱退。

その後も敵対するヒールユニットも含めてメンバーが次々と脱退したりと、五年程度の活動期間でこれは明らかに異常なのだ。

それでも、メンバーも固定化されてきてバンドがいい状態になってきているからか、なぜかいきなり「逃げるな The Mirraz！」と、以前確執のあったロックバンドと闘いたい＝対バンしたいと宣言。

これについて説明すると、初の2DAYS開催となった二〇一〇年の「夏の魔物」で、「一日目はたいしたことないバンドが淘汰される場」「ヘボいバンドは化けの皮を剝がされる」と挑発した結果、一日目に出演した「The Mirraz」が「真面目にやってられるか」とばかりのライブをして、ステージ上で大乱闘に。

これも成田大致がプロレス的に挑発したら、それに The Mirraz が乗ってきたってだけの話なのに、彼らの態度の悪さに本気で怒っちゃったわけなのだ。

その八年後、「99・1・4の小川直也の気分ですよ!」と興奮した成田大致にまたこうして挑発されるのは、まず確実に The Mirraz にとっては迷惑の一言。

「彼はなんでもプロレスに結びつけがちで、『先人がやってたから』ってことでプロレスラーのやってきたことを真似するんだけど、先人たちがそれをやってどういうことになったのかわかったほうがいい。現役プロレスラー(アントーニオ本多)の隣では言いにくいんですけど、プロレスの抗争はプロ同士がやる、もっとちゃんとしたものなんですよ。相手に、この挑発に乗ったほうが美味しいと思わせられないといけないのに、これじゃ挑発に乗るわけがない」とボクが言ったら、アントーニオ本多は、「セカンドレイプですよ!

プロレスは紳士のスポーツだし、本来、両者が得をしないといけないもの。成田くんはプロレスの殺伐としてる部分を真似したがるけど、もっと牧歌的なダスティ・ローデスとかのアメリカンプロレスも見たほうがいい」と発言。

実際、1・4の小川直也vs橋本真也は最高に面白かったけど、あの試合以降、小川は総合格闘技の方向に進むでもなく、橋本以外といい試合をできるわけでもなく、本人は全くセンスがないのにハルク・ホーガンみたいなことをやろうとして滑り続けたわけで、いまそこを目指しちゃいけないのは間違いないはず。

あの時期の小川直也の挑発に、誰も「これは美味しい」って食い付かなかったのが現実なのだ。

結局、彼が毎回やろうとしているのは信頼関係を前提とするプロレスじゃなくてガチだから、それは信頼関係が崩れたメンバーが次々と辞めていくのも当然なのであった。

インタビューでは正直さが最も大事。どうしても興味を持てない相手ならいっそ断るべき！

最近、本当に思うのは、好きな人に会いに行って、インタビューで正直な思いを伝えるのをモットーにしているはずの人間が、流されるままに仕事をしてはいけないし、あまり興味のない人をインタビューしてはいけないってことである。

連載企画でピンとこない人選を編集サイドから提案されて、「まあ、いいか……」と思って引き受けたものの、いくら下調べしてもそれほど面白いエピソードが出てこなくて、実際にインタビューしてもイマイチ盛り上がらなかったら、それはもう編集サイドじゃなくてこっちの責任。連載の方向性を変えられないのなら、その連載は終わらせるべきなんだろうし、それで仕事相手に嫌われるとしても、仕事内容の信用を失うぐらいなら人としての信用を失ったほうがいいとボクは思う。

忙しくなって、ちょっと仕事のコントロールがしきれなくなっているのかもしれないんだが、忙しくなったといえば最近はこんな仕事もあった。

とある広告代理店の企画で、とある商品の駅貼りのポスターのモデルをやらないかというオファーがきたのである。

いままで二度ほど「広告をやりませんか？」と不似合いな話を持ち掛けられ、高額なギャラを提示された上で「タバコの雑誌広告なんですけど、タバコは吸いますか？」と聞かれれば、「昔は吸ってましたけど、また吸います！」とガッツいて久しぶりに喫煙を始めた途端に「プレゼンに負けて企画が流れました」と言われたりとか、残念な感じで終わることばかりだったのに、今回は本当に企画が通ったんだ！

なんでも、とある商品にちなんで、いろんな人が過去の黒歴史を語り、それを叫んでいる風の写真を撮るから、黒い服を着て某大手広告代理店に来て欲しいとのこと。そんなの引き受けるに決まってるけれど、そもそも広告媒体で語れる自分の黒歴史がほとんど存在しないことに気付いたのだ。犯罪やら宗教やらモラルの問題で引っ掛かるネタばかり！

しょうがないから、ちょうど秋元康監修の番組『EXD44』（テレビ朝日）でプロ野球の始球式をやるという謎の企画をやっていた時期だったので、ボクと野球について話すことに決定。

ボクが子供の頃は男はみんな野球が好きで当然みたいな時代で、それが苦痛でしょうがなかった。野球なんて大好きな番組の放送を潰す迷惑なものでしかないのに、なんでみんなそんなに楽しんでいるのか？

それぐらい興味のなかった草野球に初めて誘われたときのこと。「豪ちゃんは二塁を守ってくれ」と言われたのでセカンドベースにつき、バッターが打った瞬間、ボクは迷わず三塁へと走っていった。すると「しょうがないから豪ちゃんは特別に走っていい守備ということにしよう」と言われて、その日はホームインした後もずっとグラウンドをグルグル回っていたのである……。本当のことはちゃんと最初に言ってくれればいいのに！

幼稚園ぐらいの子供のエピソードとしては微笑ましいんだろうけど、当事者としては心の傷が残ったのか、これでさらに野球への興味が薄れていった。

その結果、野球漫画は読むけれど野球を一試合もちゃんと観たことがないままこの年齢になり、小学校でゴムボールで草野球をやった後は軟球すらも投げた記憶がない。子供のとき友達がキャッチボールに誘ってくる意味もわからなくて、試合ならまだしも単なる練習をなんでしなきゃいけないんだと思って、そんなことで好きなアニメ（このときは『伝説巨神イデオン』の再放送）が見られなくなるのが嫌だから、「親に言われて毎日、勉強しなきゃいけなくなった」と嘘をついて『イデオン』を全話見ることに無事成功。

それぐらい野球には縁遠かった人間が、いまでは始球式をやるまでになりました！　って感じのいい話に着地させて撮影も終わって、ポスターの公開を待っていたら、そのスポンサー側の不祥事が発覚。そのタイミングで黒歴史をネタにするのはまずいってことで企画自体が流れてしまったのである。

これ自体が黒歴史！

誰かに何かを伝えること、すなわち書くことは常に戦いである。「書く」とは戦い続けることだ！

ライターの雨宮まみさんが亡くなった。

彼女の文章が好きで本もずっと買っていて、対談したりトークイベントに来てくれたりの交流もあって、だけど深い話はしたことがないぐらいの微妙な関係だったが、信用のできる書き手だとボクはずっと思っていた。

感受性の高そうないい文章を書くけれど、その感受性の高さゆえにとにかく生きづらそうで、でもその危うさをちゃんと文章化できる人だった。ここ最近の彼女は筆が乗りまくっていて、どんなテーマの原稿でも確実に面白くできているぐらいに思っていた。

彼女が大和書房のウェブサイトで始めた連載、「40歳がくる!」は、初回から「40歳になったら、死のうと思っていた」というフレーズから始まり、その最新回では四〇歳を直前に迎えて精神的にはひどい状態になっているけれど、文章は「死ぬほど書ける。もう書けないものはないぐらいに思う日もある。実際は、そこまで書けるわけじゃないんだけど、書けるよ。普通のときよりも」と告白したりもしていた。

しかし、そうやって「心を道具に仕事をする」ことについての危険性をAV監督のタートル今田氏に「ネタにさ、命賭けちゃダメだよ」「いくら面白いものが作れるかもしれなくても、命取られるとこまで追っちゃ、だめだよ。追いたくなるけど、この年になって思うのは、やっぱ命取られるようなとこまで行っちゃったらダメだなってことだよ」と注意されたとも書いていた。

筆が乗りまくっていたのは、つまりそういう状態だったってことなんだと思う。

彼女は自分の身体を切り刻んで原稿を書いているようにボクには見えた。ボクはそっちの土俵では戦わず、書評とインタビューという世界で戦う道を選んだ。自分の身体を切り刻むような類のリスクではなく、違うリスクを背負ってみようと考えたためだ。

書評で叩いた相手に脅されたりするのもそうだろうし、カウンセリング的なインタビューも多いから、精神科医が精神的に病みやすいのと同じで、ボクもいつかそっちに引き込まれるんじゃないかと言われがちなのもそうだろう。

ついさっきも、運営サイドに人間性を否定され、完全に精神崩壊してステージで号泣していたアイドルの子をカウンセリングするようなイベントをやってきたところなんだが、なんでボクがそんなことばかりやっているのかというと、自分なりの後悔があるからだ。

高校一年のとき、ボクが最初に本格的にハマったアイドルである岡田有希子が飛び降り自殺をして、ボクはしばらくアイドルの世界から離れた。

そして、徐々にリハビリをして、久しぶりにハマったのが「みるく」というアイドルグループで、中でも好きだったのがサブカル的な趣味の持ち主としても知られた堀口綾子だった。

彼女はボクがこの仕事を始めたばかりのとき、自宅で首を吊って死んだ。

岡田有希子のときはさすがに子供だったので何もできなかったけれど、堀口綾子に対しては、何かできることがあったんじゃないか。もう少しボクが、その時点で知名度があってアイドル仕事とかをしていたなら、ファンが高じて彼女のインタビューとかもしていただろうし、もしかしたら彼女が死なないでも済むような選択肢を作れたんじゃないのか？

自分にも何かできることがあるんじゃないか、そんな思いで、元アイドルの人たちが精神的に病んだとき、どうやってそこから抜け出したのかを裏テーマにした『元アイドル！』（新潮社、二〇〇八年）というインタビュー集を出し、スキャンダル直後の加護亜依とか指原莉乃とか、精神的に壊れそうな人たちに、それをプレゼントするという活動もしてきた。

ボクが存在することで本来なら死んでいた側の人が死なずにいられるようになればいいなと思っているし、ボクよりも広く人を救う力のある文章を書いていた雨宮さんがここでいなくなっちゃうのはちょっとないよなーとも思う。

とにかくお疲れ様でした。後は任せて下さいとはとても言えないですけど、こっちはこっちで自分なりの戦いは続けていきます。

電子書籍版あとがき

阿川佐和子の大ベストセラー『聞く力』に便乗したら意外と売れて、いまでも『漫画ゴラク』で連載が続いている、あの新書シリーズ『聞き出す力』が帰ってきた！

「インタビューの帝王が紐解く、実践すれば誰とでも会話が盛りあがる!!　心をこじ開けるコミュニケーション技術の書!!」って表紙にあるけど、帝王はさすがに言い過ぎ！　高山善廣か倉科遼先生か天王寺大先生かテリー・ボーイでもないと、しっくりこないフレーズだよ！　そして、そこまでちゃんとした実用書じゃなくて、むしろ単なるインタビューちょっといい話を集めた本なのは、もうバレてるのに！

しかし、阿川さんの『聞く力』が発売されたのが二〇一二年一月二〇日なので、もう九年前。これが売れた途端に「吉田さんもインタビュー術の本を出しましょう！」というオファーが頻発し、書き下ろしは嫌なので全部無視していたら『漫画ゴラク』にもそのテーマで連載を頼まれ、『漫画ゴラク』を送本して欲しいというシンプルな理由で引き受けて連載が始まったのが二〇一二年一〇月二五日。それももう八年半前なんだなあ……。

ボクが『情熱大陸』に出たのが二〇一二年一二月三〇日でボクが『さんまのまんま』に出たのが二〇一三年五月一一日だから、これはちょうどそういう時期。阿川さんの本がバカ売れして、ついでにボクの本もそこそこ売れたことで、ボクを世間に向けて紹介しやすい流れになっていたんだろうなと、いまさらながら思う。

そして、そこからいわゆるセルアウトというか魂を売った感じで偉くなって違う世界の人間になるわけでもなく、これをピークにどんどん落ちていって「最近見なくなった」とか言われるわけでもなく、ほどほどの位置で相変わらずの活動を出来ているのは、自分でもかなり理想的じゃないかと思っている次第なのである。

なお、ボクの仕事ぶりが相変わらずと言っても出版不況は相変わらずどころか悪化し続けているので、最初の『聞き出す力』発売が二〇一四年一二月一九日、『続聞き出す力』発売が二〇一六年一二月一七日発売と、ほぼ二年ペースで刊行されてきたのに、そこから四年以上も続刊の発売がなかった。

しかも、今回は電子書籍のみの発売を最初はオファーされて、「少部数でもいいから紙の本も作らないと出したくないです」とボクはゴネまくったのだ。音楽と同じ配信やサブスクがどれだけ主流になっても、サインを入れたりするファンアイテムとしてのCDがいまでも生き残っているように、紙の本もなくならないとボクは確信しているし、出来る限り作り続けたい。

最後に、ボクと阿川さんとの因縁について説明すると二〇一三年三月一三日号に『an・an』でボクとの対談が組まれたものの、ボクが寝坊して派手に遅刻……。そのせいで異常に恐縮したままのやり取りが、最初の『聞き出す力』のボーナストラックとして収録されている（電子書籍版には未収録）。

続いて『週刊文春』一五年二月一二日号「阿川佐和子のこの人に会いたい」に呼ばれて、このときは遅刻もしなかったから平和に盛り上がり、一五年一二月七日『ビートたけしのTVタックル』でテレビ初共演。収録前には仲良く談笑していたら、そこで「ビートたけし、人違いで吉田豪を恫喝」事件が勃発！　このお詫びとして、たけしさんが『続聞き出す力』の帯文を担当する流れになるのであった。

紙版あとがき

この本の電子書籍版あとがきを書いたのが、いまから一年半ほど前。その後、『漫画ゴラク』のボクの連載はあっさり終わり、この本が紙ではなく電書のみで出る羽目になった顛末について、電書版あとがきでは触れていない部分まで最終回でハッキリ書くことになった。そして、あまりにもハッキリ書いたせいか Twitter でもちょっぴり話題になった。

たとえば裁判傍聴芸人の阿曽山大噴火さんは「最後とは言えこういう文章を掲載してくれるのね。書く方も凄いが載せる方も凄い」とツイートしていたんだが、確かにこっちも「踏み込んだ内容になっちゃったから、これは下手したら載らないかも……」と思いながら書いた原稿だったので、いろいろ納得いかないことはあるものの、あの原稿がちゃんと載ったことと、『漫画ゴラク』の送本が続いていることにはいまでも素直に感謝しているし、『漫画ゴラク』は相変わらず面白い。そして、『漫画ゴラク』を送本してもらうためには連載陣になるしかないってことで、しぶしぶ『聞き出す力』で連載を始めたことを思うと、これはこれで結果オーライな気すらしてきたのである。ボクは基本的に「怒り」の感情が欠落しているし、引きずらないタイプだから、こうして紙で三冊目の『聞き出す力』を出せたことにも、ジョージ秋山『ドブゲロサマ』ばりに感謝するばかりなのだ。

さらには、この本の担当編集でもある元『ゴング格闘技』の藁谷浩一氏も最終回の原稿を読み、すぐにツイート。その後に実際、この本を出すために藁谷氏は『ゴラク』の担当とやり取りすることになり、連絡をスルーされまくってモヤモヤしているようだったので、少しはボクの気持ちを疑似体験してもらえたんじゃないかと思う。でも、とにかくこれで念願の紙ヴァージョンのリリースと、そして最終回までの連載をまとめた最後の『聞き出す力』の発売も決定！　電書版は不本意すぎて一切宣伝しなかったので、発売されていたことすら知らない人も多そうなんだが、これでようやく大っぴらに宣伝できる！　発売記念イベントもできるし、本にサインもできる！

ボクはやっぱり紙の本が好きだし、ＣＤが好き。配信のみのシングルはサブスクに慣れるとリリース日の深夜〇時とかにすぐ聴けて本当に便利なんだけど、それはそれで物足りなさがある。誰かを取材するとき、持っているはずの関連書籍が見当たらないとき、電書ですぐ買えて下調べできるのとか便利すぎて本当に最高だとは思うけど、それでも本は紙で買っておきたい。そんなのスペースの邪魔だとか、余計なものを置いておくことが最大の贅沢だとか言われたりもするけれど、だからこそボクは海外旅行にも高級な料理にも高額な車やバイクにも興味がない分、こういうことにお金を注ぎ込んでいきたいのだ。

電書のほうが便利で低コストなのはわかるけど、それでもボクは不便でコストも高い紙の本を買うし、紙の本を売る人間であり続けたいものなのである。

吉田 豪（よしだ・ごう）
1970年、東京都生まれ。プロインタビュアー、プロ書評家、コラムニスト。プロレスラー、アイドル、芸能人、政治家と、その取材対象は多岐にわたり、さまざまな媒体で連載を抱え、テレビ・ラジオ・ネットで活躍の場を広げている。著書に、『聞き出す力』『続 聞き出す力』（日本文芸社）、『書評の星座　吉田豪の格闘技本メッタ斬り2005-2019』『書評の星座 紙プロ編　吉田豪のプロレス&格闘技本メッタ斬り1995-2004』（ホーム社）など多数あり。

帰《かえ》ってきた 聞《き》き出《だ》す力《ちから》

2023年1月30日　第1刷発行

著　者　吉田《よしだ》 豪《ごう》
発行人　清宮 徹
発行所　株式会社ホーム社
〒101-0051 東京都千代田区神田神保町3-29 共同ビル
電話 編集部 03-5211-2966
発売元　株式会社集英社
〒101-8050 東京都千代田区一ツ橋 2-5-10
電話 販売部 03-3230-6393（書店専用）
読者係 03-3230-6080
印刷所　凸版印刷株式会社
製本所　ナショナル製本協同組合

ISBN978-4-8342-5369-6 C0276
JASRAC 出 2209281-201